Charlie y la fábrica de chocolate
Roald Dahl

Traducción de Verónica Head

Ilustraciones de Faith Jacques

ALFAGUARA

CHARLIE Y LA FÁBRICA DE CHOCOLATE
D.R. © Del texto: Roald Dahl, 1964
D.R. © Altea, Taurus, Alfaguara, S.A., 1986
D.R. © Altea, Taurus, Alfaguara, S.A., 1987
D.R. © Aguilar, Altea, Taurus, Alfaguara, S.A. de C.V., 1993

ALFAGUARA

D.R. © De esta edición:
Editorial Santillana, S.A. de C.V., 2002
Av. Universidad 767, Col. Del Valle
México, 03100, D.F. Teléfono 5420 7530
www.alfaguarainfantil.com.mx

Éstas son las sedes del **Grupo Santillana**:

ARGENTINA, BOLIVIA, CHILE, COLOMBIA, COSTA RICA, ECUADOR,
EL SALVADOR, ESPAÑA, ESTADOS UNIDOS, GUATEMALA, MÉXICO, PANAMÁ,
PERÚ, PUERTO RICO, REPÚBLICA DOMINICANA, URUGUAY Y VENEZUELA.

Primera edición en Alfaguara México: julio de 1987
Segunda edición: octubre de 1998
Primera reimpresión: febrero de 2000
Segunda reimpresión: julio de 2000
Primera edición en Editorial Santillana, S.A. de C.V.: febrero de 2002

ISBN: 968-19-0175-4

Impreso en México

Para Theo

Para Teo

INDICE

Los cinco niños de esta historia son:

AUGUSTUS GLOOP
Un niño glotón

VERUCA SALT
Una niña mimada por sus padres

VIOLET BEAUREGARDE
Una niña que masca chicle todo el día

MIKE TEVE
Un niño que no hace más que mirar la televisión

y

CHARLIE BUCKET
El héroe

1. Aquí viene Charlie

Estos dos señores tan viejos son el padre y la madre del señor Bucket. Se llaman abuelo Joe y abuela Josephine.

Y *estos* dos señores tan viejos son el padre y la madre de la señora Bucket. Se llaman abuelo George y abuela Georgina.

Este es el señor Bucket. Esta es la señora Bucket.

El señor y la señora Bucket tienen un hijo que se llama Charlie Bucket.

Este es Charlie.
¿Cómo estás? Y tú, ¿cómo estás?
Charlie se alegra de conoceros.
Toda esta familia —las seis personas mayores (cuéntalas) y el pequeño Charlie Bucket— viven juntos en una casita de madera en las afueras de una gran ciudad.

La casa no era lo bastante grande para tanta gente, y la vida resultaba realmente incómoda para todos. En total, sólo había dos habitaciones y una sola cama. La cama estaba reservada a los cuatro abuelos, porque eran muy viejos y estaban cansados. Tan cansados que nunca salían de ella.

El abuelo Joe y la abuela Josephine de este lado, y el abuelo George y la abuela Georgina de este otro.

El señor y la señora Bucket y el pequeño Charlie Bucket dormían en la otra habitación, sobre colchones extendidos en el suelo.

En el verano esto se podía soportar, pero en el invierno heladas corrientes de aire soplaban a la altura del suelo durante toda la noche y era horrible.

No había para ellos posibilidad alguna de comprar una casa mejor, o aun de comprar otra cama. Eran demasiado pobres para eso.

El señor Bucket era el único en la familia que tenía un empleo. Trabajaba en una fábrica de pasta dentífrica, donde pasaba el día entero sentado en un banco ajustando los pequeños tapones de los tubos de pasta dentífrica después de que éstos hubiesen sido llenados. Pero un taponador de tubos de pasta dentífrica nunca gana mucho dinero, y el pobre señor Bucket, por más que trabajase y por más velozmente que taponase los tubos, jamás conseguía ganar lo suficiente para comprar la mitad de las cosas que una familia tan numerosa necesitaba. No había ni siquiera bastante dinero para comprar comida adecuada para todos ellos. Las únicas comidas que podían permitirse eran pan y margarina para el desayuno, patatas y repollo cocido para el almuerzo y sopa de repollo para la cena. Los domingos eran un poco mejor. Todos esperaban ilusionados que llegara el domingo, porque entonces, a pesar de que comían exactamente lo mismo, a todos les estaba permitido repetir.

Los Bucket, por supuesto, no se morían de hambre, pero todos ellos —los dos viejos abuelos, las dos viejas abuelas, el padre de Charlie, la madre de Charlie y especialmente el propio Charlie— pasaban el día de la mañana a la noche con una horrible sensación de vacío en el estómago.

Charlie era quien más la sentía. Y a pesar de que su padre y su madre a menudo renunciaban a sus propias raciones de almuerzo o de cena para dárselas a él, ni siquiera esto era suficiente para un niño en edad de crecer. Charlie quería desesperadamente algo más alimenticio y satisfactorio que repollo y sopa de repollo. Lo que deseaba más que nada en el mundo era… CHOCOLATE.

Por las mañanas, al ir a la escuela, Charlie podía ver grandes filas de tabletas de chocolate en los escaparates de las tiendas, y solía detenerse para mirarlas, apretando la nariz contra el cristal, mientras la boca se le hacía agua. Muchas veces al día veía a los demás niños sacar cremosas chocolatinas de sus bolsillos y masticarlas ávidamente, y *eso,* por supuesto, era una *auténtica* tortura.

Sólo una vez al año, en su cumpleaños, lograba Charlie Bucket probar un trozo de chocolate. Toda la familia ahorraba su dinero para esta ocasión especial, y cuando llegaba el gran día, Charlie recibía de regalo una chocolatina para comérsela él solo. Y cada vez que la recibía, en aquellas maravillosas mañanas de cumpleaños, la colocaba cuidadosamente dentro de una pequeña caja de madera y la atesoraba como si fuese una barra de oro puro; y durante los días siguientes sólo se permitía mirarla, pero nunca tocarla. Por fin, cuando ya no podía soportarlo más, desprendía un trocito *diminuto* del papel que la envolvía para descubrir un trocito *diminuto* de chocolate, y daba un *diminuto* mordisco —justo lo suficiente para dejar que el maravilloso sabor azucarado se extendiese lentamente por su lengua—. Al día siguiente daba otro diminuto mordisco, y así sucesivamente. Y de este modo, Charlie conseguía que la chocolatina de seis peniques que le regalaban por su cumpleaños durase más de un mes

Pero aún no os he hablado de la única cosa horrible que torturaba al pequeño Charlie, el amante del chocolate, más que *cualquier* otra. Esto era para él mucho, mucho peor que ver las tabletas de chocolate en los escaparates de las tiendas o contemplar cómo los demás niños masticaban cremosas chocolatinas ante sus propios ojos. Era la cosa más torturante que podáis imaginaros, y era ésta:

¡En la propia ciudad, a la *vista* de la casa en la que vivía Charlie, había una ENORME FABRICA DE CHOCOLATE!

¿Os lo imagináis?

Y no era tampoco simplemente una enorme fábrica de chocolate. ¡Era la más grande y famosa del mundo entero! Era la FABRICA WONKA, cuyo propietario era un hombre llamado el señor Willy Wonka, el mayor inventor y fabricante de chocolate que ha existido. ¡Y qué magnífico, qué maravilloso lugar era éste! Tenía inmensos portones de hierro que conducían a su interior, y lo rodeaba un altísimo muro, y sus chimeneas despedían humo, y desde sus profundidades podían oírse extraños sonidos sibilantes. ¡Y fuera de los muros, a lo largo de una media milla en deredor, en todas direcciones, el aire estaba perfumado con el denso y delicioso aroma de chocolate derretido!

Dos veces al día, al ir y venir a la escuela, el pequeño Charlie Bucket pasaba justamente por delante de las puertas de la fábrica. Y cada vez que lo hacía empezaba a caminar muy, muy lentamente, manteniendo la nariz elevada en el aire, y aspiraba largas y profundas bocanadas del maravilloso olor a chocolate que le rodeaba.

¡Ah, cómo le gustaba ese olor!

¡Y cómo deseaba poder entrar en la fábrica para ver cómo era!

2. La fábrica del Sr. Willy Wonka

Por las noches, después de haber terminado su aguada sopa de repollo, Charlie iba siempre a la habitación de los cuatro abuelos para escuchar sus cuentos, y luego, más tarde, para darles las buenas noches.

Cada uno de estos ancianos tenía más de noventa años. Estaban tan arrugados como ciruelas pasas y tan huesudos como esqueletos, y durante el día, hasta que Charlie hacía su aparición, yacían acurrucados en la única cama, dos en cada extremo, con gorros de dormir para conservar abrigadas sus cabezas, dormitando para pasar el tiempo, sin nada que hacer. Pero en cuanto oían abrirse la puerta y la voz de Charlie diciendo «Buenas noches, abuelo Joe y abuela Josephine, abuelo George y abuela Georgina», los cuatro se incorporaban rápidamente, y sus arrugadas caras se encendían con una sonrisa de placer, y la conversación empezaba. Adoraban al pequeño Charlie. El era la única alegría de su vida, y sus visitas nocturnas eran algo que esperaban ilusionados durante todo el día. A menudo, la madre y el padre de Charlie acudían también a la habitación y se quedaban de pie junto a la puerta, escuchando las historias que contaban los ancianos, y así, durante una media hora cada noche, esta habitación se convertía en un lugar feliz, y la familia entera conseguía olvidar que era pobre y pasaba mucha hambre.

Una noche, cuando Charlie entró a ver a sus abuelos, les dijo:

— ¿Es verdad que la Fabrica de Chocolate de Wonka es la más grande del mundo?

—¿Que si es *verdad*? —gritaron los cuatro al unísono— ¡Claro que es verdad! Santo Cielo, ¿es que no lo sabías? ¡Es *cincuenta* veces más grande que cualquier otra!

—¿Y es verdad que el señor Willy Wonka es el fabricante de chocolate más inteligente del mundo?

—Mi *querido* muchacho —dijo el abuelo Joe, incorporándose un poco más sobre su almohada—, el señor Willy Wonka es el fabricante de chocolate más *asombroso,* más *fantástico,* más *extraordinario* que el mundo ha conocido! ¡Creí que *todos* lo sabían!

—Yo sabía que era famoso, abuelo Joe, y sabía que era muy inteligente...

—¡Inteligente! —gritó el anciano—. ¡Es más que eso! ¡Es un mago del chocolate! ¡Puede hacer *cualquier* cosa, todo lo que quiera! ¿No es verdad, queridos?

Los otros tres ancianos movieron afirmativamente la cabeza y dijeron:

—*Absolutamente* verdad. No puede serlo más.

Y el abuelo Joe dijo:

—¿Quieres decir que nunca te he *hablado* del señor Willy Wonka y de su fábrica?

—Nunca —respondió el pequeño Charlie.

—¡Santísimo Cielo! ¡No sé qué me ocurre!

—¿Me lo contarás ahora, abuelo Joe, por favor?

—Claro que sí. Siéntate en la cama junto a mí, querido niño, y escucha con atención.

El abuelo Joe era el más anciano de los cuatro abuelos. Tenía noventa y seis años y medio, y ésa es una edad muy respetable para cualquiera. Era débil y delicado como toda la gente muy anciana y hablaba muy poco a lo largo del día. Pero por las noches, cuando Charlie, su adorado nieto, estaba en la habitación parecía, de una forma misteriosa, volverse joven otra vez. Todo su cansancio desaparecía y se ponía tan ansioso y excitado como un niño.

—¡Qué hombre es este señor Willy Wonka! —gritó el abuelo Joe—. ¿Sabías, por ejemplo, que él mismo ha inventado más de doscientas nuevas clases de chocolatinas, cada una de ellas con un relleno diferente, cada una mucho más dulce, suave y deliciosa que cualquiera de las que puedan producir las demás fábricas de chocolate?

—¡Es la pura verdad! —gritó la abuela Josephine—. ¡Y las envía a *todos* los países del mundo! ¿No es así, abuelo Joe?

—Así es, querida mía, así es. Y también a todos los reyes y a todos los presidentes del mundo. Pero no sólo fabrica chocolatinas. ¡Ya lo creo que no! El señor Willy Wonka tiene en su haber algunas invenciones realmente *fantásticas*! ¿Sabías que ha inventado un método para fabricar helado de chocolate de modo que éste se mantenga frío durante horas y horas sin necesidad de meterlo en la nevera? ¡Hasta puedes dejarlo al sol toda una mañana en un día caluroso y nunca se derretirá!

—¡Pero es es *imposible*! —dijo el pequeño Charlie, mirando asombrado a su abuelo.

—¡Claro que es imposible! —exclamó el abuelo Joe—. ¡Es completamente *absurdo*! ¡Pero el señor Willy Wonka lo ha conseguido!

—¡Exactamente! —asintieron los demás, moviendo afirmativamente la cabeza—. El señor Wonka lo ha conseguido.

—Y además —continuó el abuelo Joe, hablando ahora muy lentamente para que Charlie no se perdiese una sola palabra—, el señor Willy Wonka puede hacer caramelos que saben a violetas, y caramelos que cambian de color cada diez segundos a medida que se van chupando, y pequeños dulces ligeros como una pluma que se derriten deliciosamente en el momento en que te los pones entre los labios. Puede hacer chicle que no pierde nunca su sabor, y globos de caramelo que puedes hinchar hasta hacerlos enormes antes de reventarlos con un alfiler y comértelos. Y, con una receta más secreta aún, puede confeccionar hermosos huevos de azulejos con manchas negras, y cuando te pones uno de ellos en la boca, éste se hace cada vez más pequeño hasta que de pronto no queda nada de él excepto un minúsculo pajarillo de azúcar posado en la punta de tu lengua.

El abuelo Joe hizo una pausa y se relamió lentamente los labios.

—Se me hace la boca agua sólo de *pensar* en ello —dijo.

—A mí también —dijo el pequeño Charlie—. Pero sigue, *por favor*.

Mientras hablaban, el señor y la señora Bucket, el padre y la madre de Charlie, habían entrado silenciosamente en la habitación, y ahora estaban de pie junto a la puerta, escuchando.

—Cuéntale a Charlie la historia de aquel loco príncipe indio —dijo la abuela Josephine—. Le gustará oírla.

—¿Te refieres al príncipe Pondicherry? —dijo el abuelo Joe, y se echó a reír.

—¡*Completamente* loco! —dijo el abuelo George.

—Pero *muy* rico —dijo la abuela Georgina.

—¿Qué hizo? —preguntó Charlie ansiosamente.

—Escucha —dijo el abuelo Joe— y te lo dire.

3. El Sr. Wonka y el príncipe indio

    —El príncipe Pondicherry le escribió una carta al señor Willy Wonka —dijo el abuelo Joe— y le pidió que fuese a la India y le construyese un palacio colosal hecho enteramente de chocolate.

    —¿Y el señor Wonka lo hizo, abuelo?

    —Ya lo creo que sí. ¡Y vaya un palacio! Tenía cien habitaciones, y *todo* estaba hecho de chocolate amargo o de chocolate con leche. Los ladrillos eran de chocolate, y el cemento que los unía era chocolate, y las ventanas eran de chocolate, y todas las paredes y los techos estaban hechos de chocolate, y también las alfombras y los cuadros y los muebles y las camas; y cuando abrías los grifos, de ellos salía chocolate caliente. Cuando el palacio estuvo terminado, el señor Wonka le dijo al príncipe Pondicherry: «Le advierto que no le durará mucho tiempo, de modo que será mejor que empiece a comérselo ahora mismo.» «¡Tonterías!», gritó el príncipe, «¡no voy a comerme mi palacio! ¡Ni siquiera pienso mordisquear las escaleras o lamer las paredes! ¡Voy a *vivir* en él!» Pero, por supuesto, el señor Wonka tenía razón, porque poco tiempo después hizo un día muy caluroso con un sol abrasador, y el palacio entero empezó a derretirse, y luego se fue derrumbando lentamente, y el pobre príncipe, que en aquel momento estaba durmiendo la siesta en el salón, se despertó para encontrarse nadando en un enorme lago marrón de pegajoso chocolate.

El pequeño Charlie estaba sentado inmóvil al borde de la cama, mirando fijamente a su abuelo. La cara de Charlie estaba encendida, y sus ojos tan abiertos que era posible ver la parte blanca rodeando enteramente sus pupilas.

—¿Esto es *realmente* verdad? —preguntó—. ¿O me estás tomando el pelo?

—¡Es verdad! —exclamaron los cuatro ancianos al unísono—. ¡Claro que es verdad! ¡Pregúntaselo a quien quieras!

—Y te diré otra cosa que es verdad —dijo el abuelo Joe, inclinándose ahora para acercarse aún más a Charlie y bajando la voz hasta convertirla en un suave, secreto susurro—. ¡*Nadie... sale ...nunca!*

—¿De dónde? —preguntó Charlie.

—¡*Y... nadie... entra... nunca!*

—¿*A dónde?* —gritó Charlie.

—¡A la fábrica de Wonka, por supuesto!

—Abuelo, ¿a *qué* te refieres?

—Me refiero a los *obreros*, Charlie.

—¿A los obreros?

—Todas las fábricas —dijo el abuelo Joe— tienen obreros que entran y salen por sus puertas por la mañana y por la noche, excepto la de Wonka. ¿Has visto *tú* alguna vez a una sola persona entrar en ese sitio o salir de él?

El pequeño Charlie miró lentamente las cuatro caras que le rodeaban, una después de otra, y todas ellas le miraron a su vez. Eran caras sonrientes y amistosas, pero al mismo tiempo eran caras muy serias. Ninguna de ellas parecía estar bromeando o burlándose de él.

—¿Y bien? ¿La has visto? —preguntó el abuelo Joe.

—Pues... La verdad es que no lo sé, abuelo —tartamudeó Charlie—. Cada vez que paso delante de la fábrica las puertas parecen estar cerradas.

—¡Exactamente! —exclamó el abuelo Joe.

—Pero *tiene* que haber gente trabajando allí...

—Gente no, Charlie. Al menos, no gente *normal*.

—Entonces, ¿quién? —gritó Charlie.

—Ajá... Esa es la cosa, ¿comprendes? Ese es otro de los golpes de inteligencia del señor Willy Wonka.

—Charlie, querido —dijo la señora Bucket, que estaba apoyada en la puerta—, es hora de irse a la cama. Ya basta por esta noche.

—Pero mamá, *tengo* que oír...

—Mañana, cariño...

—Eso es —dijo el abuelo Joe—. Te contaré el resto mañana por la noche.

4. Los obreros secretos

La noche siguiente el abuelo Joe prosiguió su historia.

—Verás, Charlie —dijo—, no hace mucho tiempo había miles de personas trabajando en la fábrica del señor Willy Wonka. Pero de pronto, un día, el señor Wonka tuvo que pedirle a *cada una de ellas* que se fuese a su casa para no volver nunca más.

—Pero, ¿por qué? —preguntó Charlie.

—A causa de los espías.

—¿Espías?

—Sí. Verás. Los otros fabricantes de chocolate habían empezado a sentirse celosos de las maravillosas golosinas que preparaba el señor Wonka y se dedicaron a enviar espías para robarle sus recetas secretas. Los espías se emplearon en la fábrica de Wonka, fingiendo ser obreros ordinarios, y mientras estaban allí, cada uno de ellos descubrió cómo se fabricaba una cosa.

—¿Y volvieron luego a sus propias fábricas para divulgar el secreto?

—Deben haberlo hecho —respondió el abuelo Joe—, puesto que al poco tiempo la fábrica de Fickelgruber empezó a fabricar un helado que no se derretía nunca, aun bajo el sol más ardiente. Luego, la fábrica del señor Prodnose empezó a producir un chicle que jamás perdía su sabor por más que se masticase. Y más tarde, la fábrica del señor Slugworth comenzó a fabricar globos de caramelo que se podían hinchar hasta hacerlos enormes antes de pincharlos con un alfiler y comérselos. Y así sucesivamente. Y el señor Willy

Wonka se mesó las barbas y gritó: «¡Esto es terrible! ¡Me arruinaré! ¡Hay espías por todas partes! ¡Tendré que cerrar la fábrica!»

—¡Pero no lo hizo! —dijo Charlie.

—Oh, ya lo creo que lo hizo. Les dijo a *todos* los obreros que lo sentía mucho, pero que tendrían que irse a casa. Entonces cerró las puertas principales y las aseguró con una cadena. Y de pronto, la inmensa fábrica de chocolate de Wonka se quedó desierta y silenciosa. Las chimeneas dejaron de echar humo, las máquinas dejaron de funcionar, y desde entonces no se fabricó una sola chocolatina ni un solo caramelo. Nadie volvió a entrar o a salir de la fábrica, e incluso el propio señor Willy Wonka desapareció. Pasaron meses y meses —prosiguió el abuelo Joe—, pero la fábrica seguía cerrada. Y todo el mundo decía: «Pobre señor Wonka. Era tan simpático. Y hacía cosas tan maravillosas. Pero ya está acabado. No hay nada que hacer.» Entonces ocurrió algo asombroso. ¡Un día, por la mañana temprano, delgadas columnas de humo blanco empezaron a salir de las altas chimeneas de la fábrica! La gente de la ciudad se detuvo a mirarlas. «¿Qué sucede?», gritaron. «¡Alguien ha encendido las calderas! ¡El señor Wonka debe estar a punto de abrir otra vez!» Corrieron hacia las puertas, esperando verlas abiertas de par en par y al señor Wonka allí de pie para dar la bienvenida a todos sus obreros. ¡Pero no! Los grandes portones de hierro seguían cerrados y encadenados tan herméticamente como siempre, y al señor Wonka no se le veía por ningún sitio. «¡Pero la fábrica *está* funcionando!» gritó la gente. «¡Escuchad! ¡Se pueden oír las máquinas! ¡Han vuelto a ponerse en marcha! ¡Y se huele en el aire el aroma del chocolate derretido!»

El abuelo Joe se inclinó hacia adelante, posó un largo dedo huesudo sobre la rodilla de Charlie y dijo quedamente:

—Pero lo más misterioso de todo, Charlie, eran las sombras en las ventanas de la fábrica. La gente que estaba fuera, de pie en la calle, podía ver pequeñas sombras oscuras moviéndose de uno a otro lado detrás de las ventanas de cristal esmerilado.

—¿Las sombras de quién? —dijo Charlie rápidamente.

—Eso es exactamente lo que todo el mundo quería saber. «¡La fábrica está llena de obreros!», gritaba la gente. «¡Pero nadie ha entrado! ¡Los portones están cerrados! ¡Es absurdo! ¡Y tampoco sale nadie!» Pero no se podía negar —dijo el abuelo Joe— que la fábrica *estaba* funcionando. Y ha seguido funcionando desde entonces durante estos últimos diez años. Y lo que es más, las chocolatinas y los caramelos que produce son cada vez más fantásticos y deliciosos. Y *ahora,* por supuesto, cuando el señor Wonka inventa un nuevo y maravilloso caramelo, ni el señor Fickelgruber ni el señor Prodnose ni el señor Slugworth ni nadie es capaz de copiarlo. Ningún espía puede entrar en la fábrica para descubrir cómo lo han hecho.

—Pero, abuelo, *¿a quién* —gritó Charlie—, a quién utiliza el señor Wonka para trabajar en su fábrica?

—Nadie lo sabe, Charlie.

—¡Pero eso es *absurdo*! ¿Es que nadie se lo ha preguntado al señor Wonka?

—Nadie le ha visto desde entonces. Nunca sale de la fábrica. Lo único que sale de la fábrica son chocolatinas y caramelos. Salen por una puerta especial colocada en la pared, empaquetados y con su dirección escrita, y son recogidos todos los días por camiones de Correos.

—Pero, abuelo, ¿qué *clase* de gente es la que trabaja allí?

—Mi querido muchacho —dijo el abuelo Joe—, ése es uno de los grandes misterios en el mundo de la fabricación de chocolate. Sólo sabemos una cosa sobre ellos. Son muy pequeños. Las débiles sombras que de vez en cuando aparecen detrás de las ventanas, especialmente tarde, por la noche, cuando las luces están encendidas, son las de personas *diminutas,* personas no más altas que mi rodilla...

—No hay gente así —dijo Charlie.

En ese momento el señor Bucket, el padre de Charlie, entró en la habitación. Acababa de llegar de la fábrica de pasta dentífrica y agitaba excitadamente un periódico de la tarde.

—¿Habéis oído la noticia? —exclamó.

Elevó el periódico para que todos pudiesen leer los grandes titulares. Los titulares decían:

LA FABRICA WONKA SE ABRIRA POR FIN PARA UNOS POCOS AFORTUNADOS

5. Los Billetes Dorados

—¿Quieres decir que se permitirá realmente entrar a la gente en la fábrica? —exclamó el abuelo Joe—. ¡Léenos lo que dice, de prisa!

—De acuerdo —dijo el señor Bucket, alisando el periódico—. Escuchad.

𝔅oletín de la 𝔗arde

*El señor Willy Wonka, genio de la fabricación
de golosinas, a quien nadie ha visto
en los últimos diez años,
publica hoy la siguiente noticia:*

Yo, Willy Wonka, he decidido permitir que cinco niños sólo cinco, y ni uno más— visiten mi fábrica este año. Estos cinco afortunados harán una visita guiada personalmente por mí, y se les permitirá conocer todos los secretos y la magia de mi fábrica. Luego, al finalizar la visita, como regalo especial, todos ellos recibirán chocolate y caramelos suficientes para durarles ¡toda la vida! Por tanto, ¡buscad los Billetes Dorados! Cinco Billetes Dorados han sido impresos en papel dorado, y estos cinco ,Billetes Dorados se han escondido en la envoltura de cinco chocolatinas normales. Estas cinco chocolatinas pueden estar en cualquier sitio —en cualquier tienda de cualquier calle de cualquier país del mundo— sobre cualquier mostrador donde se vendan las golosinas de Wonka. Y los cinco niños afortunados que encuentren estos cinco Billetes Dorados serán los *únicos* a quienes se les permita visitar mi fábrica y ver ¡cómo es *ahora* por dentro! ¡Buena suerte para todos, y que tengáis éxito en vuestra búsqueda! (Firmado: Willy Wonka.)

—¡Este hombre está loco! —murmuró la abuela Josephine.

—¡Es un genio! —gritó el abuelo Joe—. ¡Es un mago! ¡Imaginaos lo· que ocurrirá ahora! ¡El mundo entero empezará a buscar esos Billetes Dorados! ¡Todos comprarán las chocolatinas de Wonka con la esperanza de encontrar uno! ¡Venderá más que nunca! ¡Qué estupendo sería encontrar uno!

—¡Y todo el chocolate y los caramelos que puedas comer durante el resto de tu vida *gratis*! —dijo el abuelo George—. ¿Os lo imagináis?

—¡Tendrían que enviarlos en un camión! —dijo la abuela Georgina.

—Sólo de pensar en ello me pongo enferma —dijo la abuela Josephine.

—¡Pamplinas! —gritó el abuelo Joe—. ¿No sería *maravilloso,* Charlie, abrir una chocolatina y encontrar dentro un Billete Dorado?

—Sí que lo sería, abuelo. Pero no tenemos ninguna esperanza —dijo Charlie tristemente—. Yo sólo recibo una chocolatina al año.

—Nunca se sabe, cariño —dijo la abuela Georgina—. La semana que viene es tu cumpleaños. Tú tienes tantas posibilidades como cualquier otro.

—Me temo que eso no sea posible —dijo el abuelo George—. Los niños que encuentren los cinco Billetes Dorados serán aquellos que se puedan permitir comprar chocolatinas todos los días. Nuestro Charlie sólo obtiene una al año. No hay ninguna esperanza.

6. Los dos primeros afortunados

Al día siguiente mismo se encontró el primer Billete Dorado. El afortunado fue un niño llamado Augustus Gloop, y el periódico vespertino del señor Bucket traía una gran fotografía suya en la primera página. La fotografía mostraba a un niño de nueve años tan enormemente gordo que parecía haber sido hinchado con un poderoso inflador. Gruesos rollos de grasa fofa emergían por todo su cuerpo, y su cara era como una monstruosa bola de masa desde la cual dos pequeños ojos glotones que parecían dos pasas de Corinto miraban al mundo. La ciudad donde vivía Augustus Gloop, decía el periódico, se había vuelto loca de entusiasmo con su héroe. De todas las ventanas pendían banderas, los niños habían obtenido un día de asueto escolar y se estaba organizando un desfile en honor del famoso muchacho.

—*Sabía* que Augustus encontraría uno de los Billetes Dorados —había dicho su madre a los periodistas—. Come *tantas* chocolatinas al día que era casi imposible que *no* lo encontrase. Su mayor afición es comer. Es lo único que le interesa. De todos modos, eso es mejor que ser un *bandido* y pasar el tiempo disparando pistolas de *aire comprimido,* ¿no les parece? Y lo que yo siempre digo es que no comería como come a menos que *necesitase* alimentarse, ¿verdad? De todas maneras, son *vitaminas.* ¡Qué emocionante será para él visitar la maravillosa fábrica del señor Wonka! ¡No podemos sentirnos más *orgullosos*!

—Qué mujer más desagradable —dijo la abuela Josephine.

—Y qué niño más repulsivo —dijo la abuela Georgina.

—Sólo quedan cuatro Billetes Dorados —dijo el abuelo George—. Me pregunto quién los encontrará.

Y ahora el país entero, el mundo entero, en realidad parecía de pronto haberse entregado a una frenética orgía de comprar chocolatinas, todos buscando desesperadamente aquellos valiosos billetes restantes. Mujeres adultas eran sorprendidas entrando en las tiendas de golosinas y comprando diez chocolatinas de Wonka a la vez, y luego desgarrando el papel del envoltorio para mirar ansiosamente en su interior con la esperanza de encontrar allí el brillo del papel dorado. Los niños cogían martillos y abrían en dos sus huchas para correr a las tiendas con las manos llenas de dinero. En una ciudad, un famoso criminal robó cinco mil dólares de un banco y se los gastó todos en chocolatinas aquella misma tarde. Y cuando la policía entró en su casa para arrestarle le encontró sentado en el suelo en medio de montañas de chocolatinas, abriendo los envoltorios con la hoja de una larga daga. En la lejana Rusia, una mujer llamada Carlota Rusa dijo haber encontrado el segundo billete, pero éste resultó ser una experta falsificación. En Inglaterra, un famoso científico, el profesor Foulbody, inventó un aparato que podía averiguar en un momento, sin abrir el envoltorio de una chocolatina, si ésta contenía o no un Billete Dorado. El aparato tenía un brazo mecánico que se disparaba con una fuerza tremenda y se apoderaba de todo lo que tuviese dentro la más mínima cantidad de oro, y, por un momento, pareció que con esto se había hallado la solución. Pero desgraciadamente, mientras el profesor estaba enseñando al público su aparto en el mostrador de golosinas de unos famosos almacenes, el brazo mecánico salió disparado e intentó apoderarse del relleno de oro que tenía en una muela una duquesa que se encontraba por allí. Hubo una escena muy desagradable, y el aparato fue destrozado por la multitud.

De pronto, el día antes del cumpleaños de Charlie Bucket, los periódicos anunciaron que el segundo Billete Dorado había sido encontrado. La afortunada era una niña llamada Veruca Salt, que vivía con sus acaudalados padres en una gran ciudad lejana. Una vez más, el periódico vespertino del señor Bucket traía una gran fotografía de la feliz descubridora. Estaba sentada entre sus radiantes padres en el salón de su casa, agitando el Billete Dorado por encima de su cabeza y sonriendo de oreja a oreja.

El padre de Veruca, el señor Salt, había explicado a los periodistas con todo detalle cómo se había encontrado el billete.

—Veréis, muchachos —había dicho—, en cuanto mi pequeña me dijo que *tenía* que obtener uno de esos Billetes Dorados, me fui al centro de la ciudad y empecé a comprar todas las chocolatinas de Wonka que pude encontrar. Debo haber comprado *miles* de chocolatinas. ¡*Cientos* de miles! Luego hice que las cargaran en camiones y las transportaran a mi *propia* fábrica. Yo tengo un negocio de cacahuetes, ¿comprendéis?, y tengo unas cien mujeres que trabajan para mí allí en mi local, pelando cacahuetes para tostarlos y salarlos. Eso es lo que hacen todo el día esas mujeres, se sientan allí a pelar cacahuetes. De modo que les digo: «Está bien, chicas, de ahora en adelante podéis dejar de pelar cacahuetes y empezar a pelar estas ridículas chocolatinas.» Y eso es lo que hicieron. Puse a todos los obreros de la fábrica a arrancar los envoltorios de esas chocolatinas a toda velocidad de la mañana a la noche. Pero pasaron tres días y no tuvimos suerte. ¡Oh, fue terrible! Mi pequeña Veruca se ponía cada día más nerviosa, y cuando volvía a casa me gritaba: «*¿Dónde está mi Billete Dorado? ¡Quiero mi Billete Dorado!*» Y se tendía en el suelo durante horas enteras, chillando y dando patadas del modo más inquietante. Y bien, señores, a mí me desagradaba tanto ver que mi niña se sentía tan desgraciada, que me juré proseguir con la búsqueda hasta conseguir lo que ella quería. Y de pronto..., en la tarde del cuarto día, una de mis obreras gritó: «¡Aquí está! ¡Un Billete Dorado!» Y yo dije: «¡Dámelo, de prisa!», y ella me lo dio, y yo lo llevé a casa corriendo y se lo di a mi adorada Veruca, y ahora la niña es toda sonrisas y una vez más tenemos un hogar feliz.

—Esto es aún peor que lo del niño gordo —dijo la abuela Josephine.

—Lo que esa niña necesita es una buena azotaina —dijo la abuela Georgina.

—No me parece que el padre de la niña haya jugado muy limpio, abuelo, ¿y a ti? —murmuró Charlie.

—La malcría —dijo el abuelo Joe—, y nada bueno se puede obtener malcriando así a un niño, Charlie, créeme.

—Ven a acostarte, cariño —dijo la madre de Charlie—. Mañana es tu cumpleaños, no lo olvides. Espero que te levantes temprano para abrir tu regalo.

—¡Una chocolatina de Wonka! —exclamó Charlie—. Es una chocolatina de Wonka, ¿verdad?

—Sí, mi amor —dijo su madre—. Claro que sí.

—Oh, ¿no sería estupendo que encontrase dentro el tercer Billete Dorado? —dijo Charlie.

—Tráela aquí cuando la recibas —dijo el abuelo Joe—. Así todos podremos ver cómo la abres.

7. El cumpleaños de Charlie

—¡Feliz cumpleaños! —exclamaron los cuatro abuelos cuando Charlie entró en su habitación a la mañana siguiente.

Charlie sonrió nerviosamente y se sentó al borde de la cama. Sostenía su regalo, su único regalo, cuidadosamente entre las dos manos. DELICIA DE CHOCOLATE Y CARAMELO BATIDO DE WONKA, decía en el envoltorio.

Los cuatro ancianos, dos en cada extremo de la cama, se incorporaron sobre sus almohadas y fijaron sus ojos ansiosos en la chocolatina que Charlie llevaba en las manos.

El señor y la señora Bucket entraron en la habitación y se detuvieron a los pies de la cama, observando a Charlie.

La habitación se quedó en silencio. Todos esperaban ahora que Charlie abriese su regalo. Charlie miró la chocolatina. Pasó lentamente las puntas de los dedos de uno a otro extremo de la golosina, acariciándola amorosamente, y el envoltorio de papel brillante crujió suavemente en el silencio de la habitación.

Entonces la señora Bucket dijo con suavidad:

—No debes desilusionarte demasiado, querido, si no encuentras lo que estás buscando debajo del envoltorio. No puedes esperar tener tanta suerte.

—Tu madre tiene razón —dijo el señor Bucket.

Charlie no dijo nada.

—Después de todo —dijo la abuela Josephine—, en el mundo entero sólo hay tres billetes que aún no se han encontrado.

—Lo que debes recordar —dijo la abuela Georgina— es que, pase lo que pase, siempre tendrás la chocolatina.

—¡Delicia de Chocolate y Caramelo Batido de Wonka! —exclamó el abuelo George—. ¡Es la mejor de todas! ¡Te encantará!

—Sí —murmuró Charlie—. Lo sé.

—Olvídate de esos Billetes Dorados y disfruta de la chocolatina —dijo el abuelo Joe—. ¿Por qué no haces eso?

Todos sabían que era ridículo esperar que esta pobre y única chocolatina tuviese dentro el billete mágico, e intentaban tan dulce y amablemente como podían preparar a Charlie para su desencanto. Pero había otra cosa que los mayores también sabían, y era ésta: que por *pequeña* que fuese la posibilidad de tener suerte, *la posibilidad estaba allí.*

La posibilidad *tenía* que estar allí.

Esta chocolatina tenía tantas posibilidades como cualquier otra de contener el Billete Dorado.

Y por eso todos los abuelos y los padres estaban en realidad nerviosos y excitados como Charlie, a pesar de que fingían estar muy tranquilos.

—Será mejor que te decidas a abrirla o llegarás tarde a la escuela —dijo el abuelo Joe.

—Cuanto antes lo hagas, mejor —dijo el abuelo George.

—Abrela, querido —dijo la abuela Georgina—. Abrela, por favor. Me estás poniendo nerviosa.

Muy lentamente los dedos de Charlie empezaron a rasgar una esquina del papel del envoltorio.

Los ancianos se incorporaron en la cama, estirando sus delgados cuellos.

Entonces, de pronto, como si no pudiese soportar por más tiempo el suspense, Charlie desgarró el envoltorio por el medio... y sobre sus rodillas cayó... una chocolatina de cremoso color marrón claro.

Por ningún sitio se veían rastros de un Billete Dorado.

—¡Y bien, ya está! —dijo vivamente el abuelo Joe—. Es justamente lo que nos imaginábamos.

Charlie levantó la vista. Cuatro amables rostros le miraban atentamente desde la cama. Les sonrió, una pequeña sonrisa triste, y luego se encogió de hombros, recogió la chocolatina, se la ofreció a su madre y dijo:

—Toma, mamá, coge un trozo. La compartiremos. Quiero que todo el mundo la pruebe.

—¡Ni hablar! —dijo su madre.

Y los demás exclamaron:

—¡No, no! ¡Ni soñarlo! ¡Es *toda* tuya!

—*Por favor* —imploró Charlie, volviéndose y ofreciéndosela al abuelo Joe.

Pero ni él ni nadie quiso aceptar siquiera un mordisquito.

—Es hora de irte a la escuela, cariño —dijo la señora Bucket, rodeando con su brazo los delgados hombros de Charlie—. Date prisa o llegarás tarde.

8. Se encuentran otros dos Billetes Dorados

Aquella tarde el periódico del señor Bucket anunciaba el descubrimiento no sólo del tercer Billete Dorado, sino también del cuarto. DOS BILLETES DORADOS ENCONTRADOS HOY, gritaban los titulares. YA SOLO FALTA UNO.

—Está bien —dijo el abuelo Joe, cuando toda la familia estuvo reunida en la habitación de los ancianos después de la cena—, oigamos quién los ha encontrado.

—El tercer billete —leyó el señor Bucket, manteniendo el periódico cerca de su cara porque sus ojos eran débiles y no tenía dinero para comprarse unas gafas—, el tercer billete lo ha encontrado la señorita Violet Beauregarde. Reinaba un gran entusiasmo en la casa de le señorita Beauregarde cuando nuestro periodista llegó para entrevistar a la afortunada joven; las cámaras fotográficas estaban en plena actividad, estallaban los fogonazos de los *flashes* y la gente se empujaba y daba codazos intentando acercarse un poco más a la famosa muchacha. Y la famosa muchacha estaba de pie sobre una silla en el salón agitando frenéticamente el Billete Dorado a la altura de su cabeza como si estuviese llamando a un taxi. Hablaba muy de prisa y en voz muy alta con todos, pero no era fácil oír lo que decía porque al mismo tiempo mascaba furiosamente un trozo de chicle. «Normalmente, yo suelo mascar chicle», gritaba, «pero cuando me enteré de este asunto de los billetes del señor Wonka dejé a un lado el chicle y empecé a comprar chocolatinas con la esperanza de tener suerte. *Ahora,* por supuesto, he vuelto al chicle. *Adoro* el chicle. No puedo pasarme sin él. Lo mastico todo el tiempo salvo unos pocos minutos a la hora de las comidas, cuando me lo quito de la boca y me lo pego detrás de la oreja para conservarlo. Si quieren que les diga la verdad, simplemente no me sentiría *cómoda* si no tuviese ese trocito de chicle para mascar durante todo el día. Es cierto. Mi madre dice que eso no es femenino y que no hace buena impresión ver las mandíbulas de una chica subiendo y bajando todo el tiempo como las mías, pero yo no estoy de acuerdo. Y además, ¿quién es ella para criticarme? Porque si quieren mi opinión, yo diría que *sus* mandíbulas suben y bajan casi tanto como las mías cuando me *grita* a todas horas.» «Vamos, Violeta», dijo la señorita Beauregarde desde un rincón del salón, donde se había subido encima del piano para evitar que la arrollase la multitud. «¡Está bien, mamá, no te pongas nerviosa!», gritó la señorita Beauregarde. «Y ahora», prosiguió, volviéndose otra vez a los periodistas, «puede que les interese saber que este trozo de chicle que tenga en la boca lo llevo masticando desde hace más de *tres meses*. Eso es un récord. He batido el récord alcanzado por mi mejor amiga, la señorita Cornelia Prinzmetel. ¡Vaya si se enfadó! Ahora este trozo de chicle es mi más preciado tesoro. Por las noches lo pego a uno de los barrotes de mi cama, y por las mañanas sigue tan bueno como siempre, quizá un poco duro al principio, pero en cuanto lo mastico dos o tres veces se ablanda en seguida. Antes de empezar a masticar para batir el récord mundial solía cambiar mi chicle una vez al día. Lo hacía en el ascensor cuando volvía de la escuela. ¿Por qué en el ascensor? Porque me gustaba pegar el trozo de chicle que me quitaba de la boca en uno de los botones del ascensor. Entonces la persona que viniese después de mí y apretase el botón se quedaba con mi trozo de chicle pegado al dedo. ¡Ja, ja! ¡Y vaya escándalo que armaban algunos! Los mejores resultados se obtienen con mujeres que llevan un par de guantes muy caros. Oh, sí, estoy contentísima de ir a la fábrica del señor Wonka. Y tengo entendido que después va a darme chicle suficientes para el resto de mi vida. ¡Bravo! ¡Hurra!»

—Una niña *odiosa* —dijo la abuela Josephine.

—¡Despreciable! —dijo la abuela Georgina—. Un día tendrá un pegajoso final, mascando tanto chicle. Ya lo verás.

—¿Y quién encontró el cuarto Billete Dorado, papá —preguntó Charlie.

—Déjame ver —dijo el señor Bucket, escrutando el periódico—. Ah, sí, aquí está. El cuarto Billete Dorado —leyó— lo encontró un niño llamado Mike Tevé.

—Apuesto que es otro mal bicho —masculló la abuela Josephine.

—No interrumpas, abuela —dijo la señora Bucket.

—El hogar de los Tevé —dijo el señor Bucket, prosiguiendo con su lectura— estaba abarrotado, como todos los demás, de entusiasmados visitantes cuando llegó nuestro reportero, pero el joven Mike Tevé, el afortunado ganador, parecía terriblemente disgustado con todo el asunto. «¿No ven que estoy mirando televisión?», dijo furioso. «¡Me gustaría que no me interrumpiesen!» El niño de nueve años estaba sentado delante de un enorme aparato de televisión, con los ojos pegados a la pantalla, y miraba una película en la que un grupo de gangsters disparaba sobre otro grupo de gangsters con ametralladoras. El propio Mike Tevé tenía no menos de dieciocho pistolas de juguete de varios tamaños colgando de cinturones alrededor de su cuer-

po, y de vez en cuando daba un salto en el aire y disparaba una media docena de descargas con una u otra de estas armas. «¡Silencio!», gritaba cuando alguien intentaba hacerle una pregunta. «¿No les he dicho que no me interrumpan? ¡Este programa es absolutamente magnífico! ¡Es estupendo! Lo veo todos los días. Veo todos los programas todos los días, aun hasta los malos, en los que no hay disparos. Los que más me gustan son los de gangsters. ¡Esos gangsters son fantásticos! Especialmente cuando empiezan a llenarse de plomo unos a otros, o a desenfundar las navajas, o a partirse los dientes con nudillos de acero! ¡Caray, lo que yo daría por poder hacer lo mismo! ¡Eso sí que es vida! ¡Es estupendo!»

—¡Ya es suficiente! —estalló la abuela Josephine—. ¡No puedo *soportar* seguir oyéndolo!

—Ni yo —dijo la abuela Georgina—. ¿Es que *todos* los niños se portan ahora como estos mocosos que estamos oyendo?

—Claro que no —dijo el señor Bucket, sonriéndole a la anciana en la cama—. Algunos sí, por supuesto. En realidad bastantes lo hacen. Pero no *todos*.

—¡Y ahora *sólo queda un billete*! —dijo el abuelo George.

—Es verdad —dijo la abuela Georgina—. ¡Y tan seguro como que mañana por la noche tomaré sopa de repollo para la cena, ese billete irá a manos de algún otro crío desagradable que no lo merezca!

9. El abuelo Joe se arriesga

Al día siguiente, cuando Charlie volvió de la escuela y entró a ver a sus abuelos se encontró con que sólo el abuelo Joe estaba despierto. Los otros tres roncaban ruidosamente.

—¡Sshhh! —susurró el abuelo Joe, e indicó a Charlie que se acercase.

Charlie lo hizo de puntillas y se detuvo junto a la cama. El anciano le sonrió maliciosamente y luego empezó a buscar algo metiendo la mano debajo de la almohada; cuando su mano volvió a salir llevaba un antiguo monedero de cuero aferrado entre los dedos. Cubriéndose con las mantas, el anciano abrió el monedero y le dio la vuelta. De él cayó una moneda de plata de seis peniques.

—Es mi botón secreto —susurró—. Los demás no saben que lo tengo. Y ahora tú y yo vamos a hacer un último intento para encontrar el billete restante. ¿Qué te parece, eh? Pero tendrás que ayudarme.

—¿Estás *seguro* de que quieres gastarte tu dinero en eso, abuelo? —murmuró Charlie.

—¡Claro que estoy seguro! —exclamó excitado el anciano—. ¡No te quedes ahí discutiendo! ¡Yo tengo ganas como tú de encontrar ese billete! Toma, coge el dinero, vete corriendo a la tienda más cercana, compra la primera chocolatina de Wonka que veas, tráela aquí y la abriremos juntos.

Charlie cogió la pequeña moneda de plata y salió rápidamente de la habitación. Al cabo de cinco minutos estaba de vuelta.

—¿Ya la tienes? —susurró el abuelo Joe, con los ojos brillantes.

Charlie hizo un gesto afirmativo con la cabeza y le enseñó la chocolatina. SORPRESA DE NUEZ WONKA, decía en el envoltorio.

—¡Bien! —murmuró el anciano, incorporándose en la cama y frotándose las manos—. Y ahora ven aquí y siéntate a mi lado y la abriremos juntos. ¿Estás preparado?

—Sí —dijo Charlie—. Estoy preparado.

—De acuerdo. Abrela tú.

—No —dijo Charlie—. Tú la has pagado. Hazlo tú todo.

Los dedos del anciano temblaban terriblemente mientras intentaba abrir la chocolatina.

—La verdad es que no tenemos ninguna esperanza —murmuró, riendo nerviosamente—. Sabes que no tenemos ninguna esperanza, ¿verdad?

—Sí —dijo Charlie—. Lo sé.

Los dos se miraron y empezaron a reír nerviosamente.

—Claro —dijo el abuelo Joe—, que siempre existe una *pequeñísima* posibilidad de que pueda ser ésta, ¿no estás de acuerdo?

—Sí —dijo Charlie—. Por supuesto. ¿Por qué no la abres, abuelo?

—Todo a su tiempo, mi querido muchacho, todo a su tiempo. ¿Cuál de los dos extremos crees tú que debería abrir primero?

—Aquél. El que está más lejos de ti. Desprende un pedacito de papel, pero no lo bastante para que podamos ver nada aún.

—¿Así? —dijo el anciano.

—Sí. Y ahora un poquito más.

—Hazlo tú —dijo el abuelo Joe—. Yo estoy demasiado nervioso.

—No, abuelo. Debes hacerlo tú mismo.

—Está bien. Allá vamos —y rasgó el envoltorio.

Los dos miraron lo que había debajo.

Era una chocolatina, nada más.

A la vez, los dos vieron el lado cómico de la situación y estallaron en sonoras carcajadas.

—¿Qué diablos ocurre? —exclamó la abuela Josephine, despertándose de repente.

—Nada —dijo el abuelo Joe—. Vuelve a dormirte.

10. La familia empieza a pasar hambre

Las dos semanas siguientes hizo mucho frío. Primero llegó la nieve. Empezó a nevar de repente una mañana cuando Charlie se estaba vistiendo para ir a la escuela. De pie junto a la ventana vio los enormes copos descendiendo lentamente de un helado cielo color de acero.

Al llegar la noche había cuatro pies de nieve alrededor de la casita, y el señor Bucket tuvo que cavar un camino desde la puerta hasta la carretera.

Después de la nieve vino una helada ventisca que sopló sin cesar durante días enteros. ¡Qué frío hacía! Todo lo que Charlie tocaba parecía estar hecho de hielo, y cada vez que se aventuraba fuera de la puerta el viento era como un cuchillo sobre sus mejillas.

Dentro de la casa pequeñas corrientes de aire helado entraban a raudales por los resquicios de las ventanas y por debajo de las puertas, y no había sitio adonde ir para evitarlas. Los cuatro ancianos yacían silenciosos y acurrucados en su cama, intentando ahuyentar el frío de sus huesos. El entusiasmo provocado por los Billetes Dorados había sido olvidado hacía mucho tiempo. Nadie en la familia pensaba en otra cosa que no fuera los vitales problemas de mantener el calor y conseguir lo suficiente para comer.

No sé que ocurre en los días fríos que da un enorme apetito. La mayoría de nosotros nos sorprendemos deseando espesos guisos calientes y tibios trozos de pastel de manzana y toda clase de deliciosos platos calientes, y teniendo en cuenta que somos mucho más afortunados de lo que pensamos, a menudo obtenemos lo que deseamos, o casi. Pero Charlie Bucket nunca obtenía lo que deseaba porque la familia no podía permitírselo, y a medida que el frío persistía, empezó a sentir un hambre devoradora. Las dos chocolatinas, la que había recibido para su cumpleaños y la que había comprado el abuelo Joe, hacía mucho tiempo que se habían terminado, y todo lo que comía ahora eran esas escasas raciones de repollo tres veces al día.

Y de pronto esas raciones se volvieron aún más escasas.

La causa de esto fue que la fábrica de pasta dentífrica donde trabajaba el señor Bucket quebró inesperadamente y tuvo que cerrar. En seguida el señor Bucket intentó conseguir otro empleo. Pero no tuvo suerte. Finalmente, la única manera de conseguir reunir unos pocos centavos fue la de barrer la nieve de las calles. Pero esto no era suficiente para comprar ni siquiera

11. El milagro

Charlie entró en la tienda y depositó la húmeda moneda de cincuenta peniques sobre el mostrador.

—Una Delicia de Chocolate y Caramelo Batido de Wonka —dijo, recordando cuánto le había gustado la que recibiera por su cumpleaños.

El hombre que estaba detrás del mostrador parecía robusto y bien alimentado. Tenía gruesos labios y redondas mejillas y un cuello muy gordo. La grasa de su papada rebosaba el cuello de su camisa como un anillo de goma. Se volvió y alargó el brazo para coger la chocolatina, luego se volvió otra vez y se la entregó a Charlie. Charlie se la arrebató de las manos y rápidamente desgarró el envoltorio y le dio un enorme mordisco. Luego le dio otro... y otro... y, ¡qué alegría de poder llevarse a la boca grandes trozos de algo dulce y sólido! ¡Qué maravilloso placer poder llenarse la boca de exquisita y sustanciosa comida!

—Me parece a mí que necesitabas eso, hijo —dijo amablemente el tendero.

Charlie afirmó con la cabeza, la boca llena de chocolate.

El tendero puso el cambio sobre el mostrador.

—Calma —dijo—. Puede venirte un dolor de estómago si te lo tragas así, sin masticar.

Charlie siguió devorando la chocolatina. No podía detenerse. Y en menos de medio minuto la golosina entera había desaparecido. Charlie estaba sin aliento, pero se sentía maravillosa, extraordinariamente feliz. Alargó una mano para coger el cambio. Entonces hizo una pausa. Sus ojos estaban justamente a ras del mostrador. Miraban fijamente las monedas de plata. Las monedas eran todas de cinco peniques. Había nueve en total. Ciertamente no importaría que se gastase una más...

—Creo —dijo en voz baja—, creo que... me comeré otra chocolatina. De la misma clase que la anterior, por favor.

—¿Por qué no? —dijo el tendero, alargando el brazo y cogiendo otra Delicia de Chocolate y Caramelo Batido del estante. La colocó sobre el mostrador.

Charlie la recogió y rasgó el envoltorio... Y de pronto... debajo del papel... vio un brillante destello de oro.

El corazón de Charlie se detuvo.

—¡Es un Billete Dorado! —gritó el tendero, saltando medio metro en el aire—. ¡Tienes un Billete Dorado! ¡Has encontrado el último Billete Dorado! Eh, ¿qué te parece? ¡Vengan todos a ver esto! ¡El chico ha encontrado el último Billete Dorado de Wonka! ¡Ahí está! ¡Lo tiene en la mano!

Parecía que al tendero le iba a dar un ataque.

—¡Y en mi tienda, además! —gritó—. ¡Lo encontró aquí mismo, en mi propia tienda! ¡Que alguien llame a los periódicos, de prisa, y se lo haga saber! ¡Ten cuidado, hijo! ¡No lo rompas al desenvolverlo! ¡Eso es un tesoro!

En pocos segundos, había un grupo de unas veinte personas apiñadas alrededor de Charlie, y muchas más se abrían camino a empujones para entrar en la tienda. Todo el mundo quería ver el Billete Dorado y a su afortunado descubridor.

—¿Dónde está? —gritó alguien—. ¡Levántalo, así todos podremos verlo!

—¡Allí está, allí! —gritó otro—. ¡Lo tiene en la mano! ¡Mirad cómo brilla el oro!

—Me gustaría saber cómo se las arregló para encontrarlo —gritó un niño, furioso—. ¡Yo llevo semanas enteras comprando *veinte* chocolatinas al día!

—¡Piensa en todas las golosinas que podrá comer gratis! —dijo otro niño, envidiosamente—. ¡Durante toda la vida!

—¡Ese pobre flacucho lo necesitará! —dijo una niña, riendo.

Charlie no se había movido. Ni siquiera había extraído el Billete Dorado que envolvía a la chocolatina. Estaba inmóvil, sosteniéndola apretadamente con ambas manos mientras la multitud gritaba y se apretujaba a su alrededor. Se sentía mareado, invadido por una extraña sensación de ligereza, igual que si estuviese flotando en el aire como un globo. Sus pies no parecían tocar el suelo. Podía oír los fuertes latidos de su corazón en algún sitio cerca de su garganta.

En ese momento, se percató de que una mano se había posado livianamente sobre su hombro, y cuando levantó la vista, vio que había un hombre junto a él.

—Escucha —susurró éste—. Te lo compraré. Te daré cincuenta libras por él. ¿Eh? ¿Qué te parece? Y también te daré una nueva bicicleta. ¿De acuerdo?

—¿Está *loco?* —gritó una mujer que estaba cerca de ellos—. ¡Vaya, yo le daría *doscientas* libras por ese billete! ¿Quieres vender ese billete por doscientas libras, jovencito?

—¡Ya es suficiente! —gritó el gordo tendero, abriéndose paso entre la multitud y cogiendo a Charlie firmemente por un brazo—. Dejen en paz al muchacho, ¿quieren? ¡Abran paso! ¡Déjenle salir! —Y a Charlie, mientras le conducía a la puerta, le susurró—: ¡No dejes que *nadie* se lo quede! ¡Llévatelo a casa, de prisa, antes de que lo pierdas! Corre todo el camino y no te detengas hasta llegar allí, ¿has entendido?

Charlie asintió.

—¿Sabes una cosa? —dijo el tendero, haciendo una pausa y sonriendo a Charlie—. Tengo la sensación de que necesitabas un golpe de suerte como éste. Me alegro mucho de que lo hayas conseguido. Buena suerte, hijo.

—Gracias —dijo Charlie, y salió a la calle, echando a correr sobre la nieve lo más de prisa que sus piernas se lo permitían. Y cuando pasó frente a la fábrica del señor Willy Wonka, se volvió y agitó la mano y cantó—: ¡Ya nos veremos! ¡Nos veremos muy pronto! —Y cinco minutos más tarde llegaba a su casa.

12. Lo que decía en el Billete Dorado

Charlie entró corriendo por la puerta delantera, gritando:

—¡*Mamá! ¡Mamá! ¡Mamá!*

La señora Bucket estaba en la habitación de los abuelos, sirviéndoles la sopa de la cena.

—¡Mamá! —gritó Charlie, entrando como una tromba—. ¡Mira! ¡Lo tengo! ¡Mira, mamá, mira! ¡El último Billete Dorado! ¡Es mío! Encontré una moneda en la calle y compré dos chocolatinas y la segunda tenía el Billete Dorado y había *montones* de gente a mi alrededor que querían verlo y el tendero me rescató y he venido corriendo a casa y aquí estoy! ¡ES EL QUINTO BILLETE DORADO, MAMA, Y YO LO HE ENCONTRADO!

La señora Bucket se quedó muda, mirándole, y los cuatro abuelos, que estaban sentados en la cama balanceando sendos cuencos de sopa sobre sus rodillas, dejaron caer de golpe sus cucharas y se quedaron inmóviles contra las almohadas.

Durante diez segundos aproximadamente reinó un absoluto silencio en la habitación. Nadie se atrevía a moverse o a hablar. Fue un momento mágico.

Entonces, muy suavemente, el abuelo Joe dijo:

—Nos estás gastando una broma, Charlie, ¿verdad? ¿Te estás burlando de nosotros?

—¡No! —gritó Charlie, corriendo hacia la cama y enseñándole el hermoso Billete Dorado para que lo viese.

El abuelo Joe se inclinó hacia adelante y lo miró atentamente, tocando casi el billete con la nariz. Los otros le miraban, esperando el veredicto.

Entonces, muy lentamente, mientras una lenta y maravillosa sonrisa se extendía por su cara, el abuelo Joe levantó la cabeza y miró directamente a Charlie. El color se le había subido a las mejillas, y tenía los ojos muy abiertos, brillantes de alegría, y en el centro de cada ojo, en el mismísimo centro, en la negra pupila, danzaba lentamente una pequeña chispa de fogoso entusiasmo. Entonces el anciano tomó aliento y de pronto, sin previo aviso, una explosión pareció tener lugar en su interior. Arrojó sus brazos al aire y gritó:

—¡Yiiipiiiii!

Y al mismo tiempo, su largo cuerpo huesudo se alzó de la cama y su cuenco de sopa salió volando en dirección a la cara de la abuela Josephine, y en un fantástico brinco, este anciano señor de noventa y seis años y medio, que no había salido de la cama durante los últimos veinte años, saltó al suelo y empezó a bailar en pijama una danza de victoria.

—¡Yiiipiiii! —gritó—. ¡Tres vivas para Charlie! ¡Hurrah!

En ese momento, la puerta se abrió, y el señor Bucket entró en la habitación. Tenía frío y estaba cansado, y se le notaba. Llevaba todo el día limpiando la nieve de las calles.

—¡Caramba! —gritó—. ¿Qué sucede aquí?

No les llevó mucho tiempo contarle lo que había ocurrido.

—¡No puedo creerlo! —dijo el señor Bucket—. ¡No es posible!

—¡Enséñale el billete, Charlie! —gritó el abuelo Joe, que aún seguía bailando por la habitación como un derviche con su pijama a rayas—. ¡Enséñale a tu padre el quinto y último Billete Dorado del mundo!

—Déjame ver, Charlie —dijo el señor Bucket, desplomándose en una silla y extendiendo la mano. Charlie se acercó con el precioso documento.

Era muy hermoso este Billete Dorado; había sido hecho, o así lo parecía, de una hoja de oro puro trabajada hasta conseguir la finura del papel. En una de sus caras, impresa en letras negras con un curioso método, estaba la invitación del señor Wonka.

—Léela en voz alta —dijo el abuelo Joe, volviéndose a meter por fin en la cama—. Oigamos exactamente lo que dice.

El señor Bucket acercó a sus ojos el precioso Billete Dorado. Sus manos temblaban ligeramente, y parecía estar muy emocionado. Tomó aliento varias veces. Luego se aclaró la garganta y dijo:

—Muy bien, lo leeré. Allá va:

«¡Cordiales saludos para ti, *el afortunado descubridor de este Billete Dorado, de parte del señor Willy Wonka! ¡Estrecho efusivamente tu mano! ¡Te esperan cosas espléndidas! ¡Sorpresas maravillosas! De momento, te invito a venir a mi fábrica y a ser mi huésped durante un día entero —tú y todos los demás que tengan la suerte de encontrar mis billetes dorados. Yo, Willy Wonka, te conduciré en persona por mi fábrica, enseñándote todo lo que haya que ver, y luego, cuando llegue la hora de partir, serás escoltado hasta tu casa por una procesión de grandes camiones. Puedo prometerte que estos camiones estarán cargados de deliciosos comestibles que os durarán a ti y a tu familia*

*muchos años. Si, en algún momento, se te acabasen
las provisiones, lo único que tienes que hacer es volver
a mi fábrica y enseñar este Billete Dorado, y yo estaré
encantado de volver a llenar tu despensa con todo lo
que te apetezca. De este modo, podrás tener la despensa llena de sabrosas golosinas durante el resto de tu
vida. Pero esto no es, de ningún modo, lo más emocionante que ocurrirá el día de tu visita. Estoy preparando otras sorpresas que serán aún más maravillosas y fantásticas para ti y para todos mis queridos poseedores de Billetes Dorados —sorpresas místicas y
maravillosas que te extasiarán, te encantarán, te intri-
garán, te asombrarán y te maravillarán más allá de lo
imaginable. ¡Ni siquiera en tus más fantásticos sueños
podrías jamás imaginar que te ocurrirían tales cosas!
¡Espera y verás! Y ahora, aquí están tus instrucciones:
el día que he seleccionado para la visita es el primer
día del mes de febrero. En este día, y ningún otro, de-
berás presentarte a las puertas de la fábrica a las diez de
la mañana. ¡No llegues tarde! Y puedes traer contigo
a uno o a dos miembros de tu familia para que cuiden
de ti y se aseguren de que no hagas ninguna travesura.
Una cosa más, asegúrate de llevar contigo este billete,
de lo contrario, no serás admitido.*

(Firmado) WILLY WONKA.»

—¡El primer día de febrero! —exclamó la señora Bucket—. ¡Pero eso es *mañana!* Hoy es el último día de enero, *lo sé!*

—¡Caramba! —dijo el señor Bucket—. Creo
que tienes razón.

—¡Llegas justo a tiempo! —gritó el abuelo
Joe—. No hay momento que perder. ¡Debes empezar
a prepararte ahora mismo! ¡Lávate la cara, péinate, lávate las manos, cepíllate los dientes, suénate la nariz,
córtate las uñas, límpiate los zapatos, plánchate la camisa, y, en nombre del Cielo, límpiate el barro de los

pantalones! ¡Debes prepararte, muchacho! ¡Debes prepararte para el día más grande de tu vida!

—Bueno, no te excites demasiado, abuelo —dijo la señora Bucket—. Y no pongas nervioso al pequeño Charlie. Todos debemos intentar mantener la calma. Y ahora, lo primero que tenemos que decidir es esto: ¿quién acompañará a Charlie a la fábrica?

—¡Yo lo haré! —gritó el abuelo Joe, saltando otra vez de la cama—. ¡Yo le llevaré! ¡Yo cuidaré de él! ¡Déjalo en mis manos!

La señora Bucket sonrió al anciano, y luego se volvió a su marido y dijo:

—¿Y tú, querido? ¿No crees que *tú* deberías ir?

—Bueno... —dijo el señor Bucket, haciendo una pausa para meditarlo—. No... No estoy tan seguro de ello.

—Pero *debes* hacerlo.

—No se trata de un *deber,* cariño —dijo suavemente el señor Bucket—. Claro que me *encantaría* ir. Será muy emocionante. Pero por otra parte... Creo que la persona que realmente *merece* acompañar a Charlie es el abuelo Joe. Parece saber mucho más sobre el asunto que nosotros. Siempre, por supuesto, que se sienta lo bastante bien como para...

—¡Yiiipiii! —gritó el abuelo Joe, cogiendo a Charlie de las manos y bailando con él por la habitación.

—Lo cierto es que *parece* sentirse muy bien —dijo riendo la señora Bucket—. Sí..., quizá tengas razón. Quizá el abuelo Joe sea la persona más indicada para acompañarle. Está claro que yo no puedo ir con él dejando a los otros tres abuelos solos en la cama durante todo el día.

—¡Aleluya! —gritó el abuelo Joe—. Bendito sea el Señor!

En ese momento se oyeron fuertes golpes en la puerta de la calle. El señor Bucket fue a abrir, y en un segundo, oleadas de periodistas y fotógrafos invadieron la casa. Habían averiguado dónde vivía el descubridor del quinto Billete Dorado, y ahora todos querían obtener la historia completa para las primeras páginas de los periódicos matutinos. Durante varias horas reinó un total caos en la pequeña casita, y hasta casi medianoche la señora Bucket no pudo librarse de ellos para que Charlie se fuese a la cama.

13. Llega el gran día

El sol brillaba alegremente en la mañana del gran día, pero el suelo seguía blanco de nieve y el aire era muy frío.

Junto a las puertas de la fábrica Wonka una gran multitud se había reunido para ver entrar a los cinco afortunados poseedores de los Billetes Dorados. La excitación era tremenda. Faltaban pocos minutos para las diez. La muchedumbre gritaba y se empujaba, y un grupo de policías intentaba mantenerla alejada de las puertas con los brazos unidos en cadena.

Al lado mismo de los portones, en un pequeño grupo celosamente protegido de la multitud por la policía, se hallaban los cinco famosos niños, junto con los mayores que habían venido a acompañarles.

La alta figura huesuda del abuelo Joe podía verse tranquilamente de pie entre los demás, y junto a él, fuertemente cogido de su mano, se hallaba el pequeño Charlie Bucket.

Todos los niños, excepto Charlie, iban acompañados de su padre y de su madre, y esto era de agradecer, ya que de no haber sido así, el grupo entero podía haberse desmandado. Estaban tan ansiosos por empezar que sus padres se veían obligados a detenerlos por la fuerza para impedir que trepasen por las verjas.

—¡Tened paciencia! —gritaban los padres—. ¡Tranquilos! ¡Aún no es la *hora*! ¡Aún no son las diez!

Detrás de él, Charlie Bucket podía oír los gritos de la multitud al tiempo que ésta luchaba y se empujaba por ver a los famosos niños.

—¡Allí está Violet Beauregarde! —oyó que alguien exclamaba—. ¡Es ella, claro que sí! ¡Recuerdo su cara de los periódicos!

—¿Y sabes una cosa? —gritó alguien en respuesta—. ¡Aún sigue masticando ese espantoso chicle con el que lleva tres meses! ¡Mira sus mandíbulas! ¡Todavía siguen trabajando!

—¿Quién es ese chico tan gordo?

—¡Es Augustus Gloop!

—¡Es cierto!

—Es enorme, ¿no crees?

—¡Increíble!

—¿Quién es el niño que lleva una foto del Llanero Solitario impreso en la chaqueta?

—¡Ese es Mike Tevé! ¡El fanático de la televisión!

—¡Debe estar loco! ¡Mira todas esas ridículas pistolas que lleva colgando!

—¡A quien me gustaría ver es a Veruca Salt! —gritó otra voz en la multitud—. ¡Es la niña cuyo padre compró medio millón de chocolatinas y luego hizo que todos los obreros de su fábrica de cacahuetes las desenvolvieran una a una hasta encontrar el Billete Dorado! ¡Le da todo lo que quiere! ¡Absolutamente todo! ¡Lo único que tiene que hacer es empezar a gritar para obtenerlo!

—Qué horror, ¿verdad?

—¡Espantoso!

—¿Cuál crees que es?

—¡Aquélla! ¡La que está allí, a la izquierda! ¡La niña que lleva el visón plateado!

—¿Cuál es Charlie Bucket?

—¿Charlie Bucket? Debe ser ese niño delgaducho que está junto a ese viejo que parece un esqueleto. Casi junto a nosotros. ¡Allí mismo! ¿Lo ves?

—¿Cómo no lleva un abrigo con el frío que hace?

—Ni idea. Quizá no tenga dinero para comprár-selo.

—¡Caramba! ¡Debe estar helado!

Charlie, que se hallaba sólo a unos pasos de quien hablaba, apretó la mano del abuelo Joe, y el anciano miró al niño y sonrió.

A lo lejos, el reloj de una iglesia empezó a dar las diez.

Muy lentamente, con un agudo chirrido de goznes oxidados, los grandes portones de hierro de la fábrica empezaron a abrirse.

La muchedumbre se quedó súbitamente en silencio. Los niños dejaron de saltar. Todos los ojos estaban fijos en los portones.

—¡*Allí está!* —gritó alguien. *¡Es él!*

¡Y así era!

cionante! ¡Espero que lo disfrutes! ¡Estoy seguro de que así será! ¡Sé que lo disfrutarás! ¿Tu padre? ¿Cómo está usted, señor Salt? ¿Y la señora Salt? ¡Me alegro mucho de verles! ¡Sí, el billete está en regla! ¡Pasen, por favor!

Los dos niños siguientes, Violet Beauregarde y Mike Tevé, se adelantaron para que les examinara sus billetes y luego para que el enérgico señor Wonka les estrechara la mano con tanta fuerza que casi les arranca el brazo.

Y, por último, una vocecilla nerviosa murmuró:

—Charlie Bucket.

—¡Charlie! —grito el señor Wonka—. ¡Vaya, vaya, vaya! ¡De modo que tú eres Charlie! Tú eres el que hasta ayer no encontró su billete, ¿no es eso? Sí, sí. Lo he leído todo en los periódicos de la mañana. ¡*Justo* a tiempo, mi querido muchacho! ¡Me alegro tanto! ¡Estoy tan contento por ti! ¿Y este señor? ¿Es tu abuelo? ¡Encantado de conocerle, señor! ¡Maravilloso! ¡Fascinado! ¡Muy bien! ¡Excelente! ¿Han entrado ya todos? ¿Cinco niños? ¡Sí! ¡Bien! Y ahora, ¿queréis seguirme, por favor? ¡Nuestra gira está a punto de empezar! ¡Pero manteneos juntos! ¡No os separéis del grupo, *por favor*! ¡No me gustaría perder a ninguno de vosotros a esta altura de los acontecimientos! ¡Oh, ya lo creo que no!

Charlie miró hacia atrás por encima de su hombro y vio que los grandes portones de hierro se cerraban lentamente detrás de él. Fuera, la multitud seguía gritando y empujándose. Charlie les dedicó una última mirada. Luego, cuando los portones se cerraron con un metálico estruendo, toda perspectiva del mundo exterior desapareció.

—¡Aquí estamos! —exclamó el señor Wonka, trotando a la cabeza del grupo—. ¡Por esta puerta roja, por favor! ¡*Eso* es! ¡Veréis que dentro hace una temperatura muy agradable! ¡Tengo que mantener caliente la fábrica por los obreros! ¡Mis obreros están acostumbrados a un clima *muy* cálido! ¡No pueden soportar el frío! ¡Morirían si salieran fuera con este tiempo! ¡Se quedarían congelados!

—Pero, ¿quiénes son estos obreros? —preguntó Augustus Gloop.

—¡Todo a su tiempo, mi querido muchacho! —dijo el señor Wonka, sonriéndole a Augustus—. ¡Ten paciencia! ¡Lo verás todo a medida que vayamos avanzando! ¿Estáis todos dentro? ¡Bien! ¿Os importaría cerrar la puerta? ¡Gracias!

Charlie Bucket se encontró de pie ante un largo corredor que se extendía hasta donde alcanzaba la vista. El corredor era tan ancho que fácilmente podía circular un automóvil. Las paredes eran de un color rosa pálido, y la iluminación era suave y agradable.

—¡Qué bonito, y qué temperatura tan agradable! —susurró Charlie.

—Sí. ¡Y qué maravilloso aroma! —respondió el abuelo Joe, aspirando una profunda bocanada. Los más apetitosos olores del mundo parecían mezclarse en el aire que les rodeaba: el olor de café tostado y el de azúcar quemado y el de chocolate derretido y el de menta y el de violetas y el de puré de castañas y el de azahar y el de caramelo y el de corteza de limón...

Y a lo lejos, en el corazón de la inmensa fábrica, se oía un ahogado rugido de energía, como si una enorme, monstruosa máquina, estuviese haciendo girar sus ruedas a toda velocidad.

—Y bien, *éste,* mis queridos niños —dijo el señor Wonka, elevando la voz por encima del ruido—, éste es el corredor principal. ¿Me hacéis el favor de colgar vuestros abrigos y sombreros en esas perchas que hay en la pared y seguirme? ¡Así me gusta! ¡Bien! ¡Todos preparados! ¡Vamos entonces! ¡Vamos allá! —echó a trotar rápidamente a lo largo del corredor con los faldones de su frac de terciopelo color ciruela flotando detrás, y todos los visitantes se apresuraron a seguirle.

Era un grupo bastante numeroso si uno se paraba a considerarlo. Eran nueve adultos y cinco niños, catorce en total. Podéis imaginaros la de apretujones y empujones que hubo cuando todos echaron a correr pasillo abajo intentando mantener la marcha de la veloz figurilla que les precedía.

—¡Vamos! exclamó el señor Wonka—. ¡Daos prisa, por favor! ¡*Jamás* terminaremos en un solo día si os movéis con tanta lentitud!

Pronto salió del corredor principal para entrar en un pasaje ligeramente más estrecho.

Luego dobló a la izquierda.

Luego otra vez a la izquierda.

Luego a la derecha.

Luego a la izquierda.

Luego a la derecha.

Luego a la derecha.

Luego a la izquierda.

El sitio era como un gigantesco laberinto, con pasillos que llevaban aquí y allá en todas direcciones.

—No te sueltes de mi mano, Charlie —susurró el abuelo Joe.

—¡Fijaos cómo estos pasillos van cuesta abajo! —dijo el señor Wonka—. ¡Estamos yendo bajo tierra! ¡Los recintos más importantes de mi fábrica están bajo tierra!

—¿Por qué? —preguntó alguien.

—¡Porque no habría suficiente espacio para ellos allá arriba! —respondió el señor Wonka—. ¡Estos recintos que vamos a ver ahora son *enormes*! ¡Son más grandes que campos de fútbol! ¡Ningún edificio del *mundo* sería lo bastante grande para contenerlos! ¡Pero aquí, bajo tierra, tengo *todo* el espacio que necesito! No hay límite. Todo lo que tengo que hacer es excavar.

El señor Wonka dobló a la derecha.

Luego dobló a la izquierda.

Volvió a doblar a la derecha.

Ahora los pasillos iban hacia abajo en una pendiente cada vez más pronunciada.

De pronto, el señor Wonka se detuvo. Frente a él había una puerta de brillante metal. El grupo se agolpó a su alrededor. Sobre la puerta, en grandes letras, decía:

RECINTO DEL CHOCOLATE

15. El Recinto del Chocolate

—¡Esta es una estancia muy importante! —exclamó el señor Wonka, extrayendo un manojo de llaves de su bolsillo e introduciendo una de ellas en la cerradura de la puerta—. ¡*Este* es el centro neurálgico de la fábrica entera, el corazón de todo el sistema! ¡Y es tan *hermoso*! ¡Yo *insisto* en que mis habitaciones sean hermosas! ¡No puedo *soportar* la fealdad en las fábricas! ¡Vamos adentro! ¡Pero tened cuidado, mis queridos niños! ¡No perdáis la cabeza! ¡No os excitéis demasiado! ¡Mantened la calma!

El señor Wonka abrió la puerta. Cinco niños y nueve adultos se apresuraron a entrar, y ¡qué espectáculo más asombroso se presentó ante sus ojos!

Lo que veían desde allí arriba era un magnífico valle. Había verdes colinas a ambos lados del valle, y en el fondo del mismo fluía un ancho río de color marrón.

Es más, había una enorme cascada en el río, un escarpado acantilado sobre el que el agua rodaba y ondulaba en una sólida capa, y luego se estrellaba en un hirviente, espumoso remolino de salpicaduras.

Debajo de la cascada (y éste era el espectáculo más maravilloso de todos) una masa de enormes tubos de vidrio colgaba sobre el río desde algún sitio del techo, a gran altura. Eran realmente *enormes* estos tubos. Debía haber al menos una docena, y lo que hacían era succionar el agua oscura y barrosa del río para llevársela a Dios sabe dónde. Y como estaban hechos de vidrio, podía verse fluir el líquido a borbotones en su interior, y por encima del ruido de la cascada podía oírse el interminable sonido de succión de los tubos a medida que hacían su trabajo.

Gráciles árboles y arbustos crecían a lo largo de las orillas del río, sauces llorones y alisos y altos rododendros llenos de capullos violetas y rosados. En las colinas crecían miles de botones de oro.

—¡Mirad! —exclamó el señor Wonka, bailando excitadamente y señalando el río de color marrón con su bastón de puño dorado—. ¡Es *todo* de chocolate! Hasta la última gota de ese río es chocolate derretido caliente de la mejor calidad. De una calidad *insuperable*. Hay allí *chocolate* suficiente para llenar *todas* las bañeras del país *entero*! ¡Y todas las piscinas también! ¿No es *fantástico*? ¡Mirad esos tubos! Succionan el chocolate y lo llevan a todas las demás dependencias de la fábrica, donde haga falta. ¡Miles de litros por hora, mis queridos niños! ¡Miles y miles de litros!

Los niños y sus padres estaban demasiado atónitos para responder. Estaban aturdidos. Estaban alucinados. Estaban admirados y maravillados. Estaban completamente desconcertados por el tamaño de todo ello. Miraban todo con los ojos muy abiertos, sin hablar.

—¡La cascada es *muy* importante! —prosiguió el señor Wonka—. ¡Mezcla el chocolate! ¡Lo bate! ¡Lo tritura y lo desmenuza! ¡Lo hace ligero y espumoso! ¡Ninguna otra fábrica del mundo mezcla su chocolate por medio de una cascada! ¡Pero es la *única* manera de hacerlo! ¡La *única* manera! ¿Y os gustan mis árboles? —exclamó, señalándolos con su bastón—. ¿Y mis hermosos arbustos? ¿No os parece que son muy bonitos? ¡Ya os dije que detestaba la fealdad! Y, por supuesto, son *todos* comestibles! ¡Todos ellos están hechos de algo diferente y delicioso! ¿Y os gustan mis colinas? ¿Os gustan la hierba y los botones de oro? La hierba que pisáis, mis queridos niños, está hecha de una nueva clase de azúcar mentolado que acabo de inventar! ¡La llamo mintilla! ¡Probad una brizna! ¡Por favor! ¡Es deliciosa!

Automáticamente, todo el mundo se agachó y cogió una brizna de hierba; todos, excepto Augustus Gloop, que cogió un enorme puñado.

Y Violet Beauregarde, antes de probar su brizna de hierba, se quitó de la boca el chicle con el que había batido el récord mundial y se lo pegó cuidadosamente detrás de la oreja.

—¿No es *maravilloso?* —susurró Charlie—. ¿No es verdad que tiene un sabor maravilloso, abuelo?

—¡Podría comerme el campo entero! —dijo el abuelo Joe, sonriendo de placer—. Podría ponerme a cuatro patas como una vaca y comerme toda la hierba que hay en el campo!

—¡Probad un botón de oro! —dijo el señor Wonka—. ¡Son aún *mejores!*

De pronto, el aire se llenó de gritos excitados. Los gritos provenían de Veruca Salt. Esta señalaba frenéticamente el otro lado del río.

—¡Mirad! ¡Mirad allí! —chilló—. ¿Qué *es*? ¡Se está moviendo! ¡Está caminando! ¡Es una *personita*! ¡Es un *hombrecito*! ¡Allí, debajo de la cascada!

Todos dejaron de coger botones de oro y miraron hacia el río.

—¡*Tiene razón, abuelo!* —gritó Charlie—. ¡*Es* un hombrecito! ¿Lo ves?

—¡Lo veo, Charlie! —dijo excitadamente el abuelo Joe.

Y ahora todo el mundo empezó a gritar a la vez.

—¡Hay *dos*!

—¡Dios mío, es verdad!

—¡Hay más de dos! ¡Hay uno, dos, tres, cuatro, cinco!

—¿Qué están *haciendo*?

—¿De dónde *salen*?

—¿Quiénes *son*?

Niños y grandes corrieron a la orilla del río para verlos de cerca.

—¿No son *fantásticos*?

—¡No son más altos que mi rodilla!

—¡Su piel es casi negra!

—¡Es verdad!

—¿Sabes lo que creo, abuelo? —exclamó Charlie—. ¡Creo que el señor Wonka los ha hecho él mismo, de chocolate!

Los diminutos hombrecillos —no eran más grandes que muñecas de tamaño mediano— habían dejado lo que estaban haciendo y ahora contemplaban desde el otro lado del río a los visitantes. Uno de ellos señaló a los niños, susurró algo a los otros cuatro, y los cinco estallaron en sonoras carcajadas.

—¿Es verdad que están hechos de chocolate, señor Wonka? —preguntó Charlie.

—¿Chocolate? —gritó el señor Wonka—. ¡Qué tontería! ¡Son personas de verdad! ¡Son algunos de mis obreros!

—¡Eso es imposible! —dijo Mike Tevé—. ¡No hay gente en el mundo tan pequeña como ésa!

bastante traviesos. Les encantan las bromas. Aún si-
gúen llevando la misma ropa que llevaban en la jungla.
Insisten en ello. Los hombres, como podéis ver, sólo
llevan pieles de ciervo. Las mujeres se cubren con hojas, y los niños van desnudos. Las mujeres se ponen
hojas frescas todos los días...

—¡Papá! —gritó Veruca Salt (la niña que obtenía todo lo que quería)—. ¡Papá ¡Quiero un Oompa-
Loompa! ¡Quiero que me des un Oompa-Loompa!
¡Quiero un Oompa-Loompa ahora mismo! ¡Quiero lle-
vármelo a casa conmigo! ¡Anda, papá! ¡Dame un Oompa-Loompa!

—Vamos, vamos, tesoro —le dijo su padre—.
No debemos interrumpir al señor Wonka.

—¡*Pero yo quiero un Oompa-Loompa!* —chilló
Veruca.

—Está bien, Veruca, está *bien*. Pero no puedo
dártelo en este mismísimo momento. Ten paciencia, por
favor. Me ocuparé de conseguirte uno antes de que
acabe el día.

—¡Augustus! —gritó la señora Gloop—. Augustus, cariño, no creo que debas hacer *eso*.

Augustus Gloop, como habréis podido adivinar,
se había deslizado silenciosamente hasta el borde del
río y ahora estaba arrodillado junto a la orilla bebiendo
chocolate derretido lo más de prisa que podía.

17. Augustus Gloop se va por un tubo

Cuando el señor Wonka se volvió y vio lo que estaba haciendo Augustus, gritó:

—¡Oh, no! ¡*Por favor,* Augustus, *por favor*! ¡Te ruego que no hagas eso! ¡Mi chocolate no debe ser tocado por manos humanas!

—¡Augustus! —llamó la señora Gloop—. ¿No has oído lo que te ha dicho el señor? ¡Aléjate ahora mismo de ese río!

—¡Esto es estupendo! —dijo Augustus, sin hacer el menor caso de su madre ni del señor Wonka—. ¡Vaya! ¡Necesito un cubo para beberlo!

—Augustus —gritó el señor Wonka, dando pequeños saltos y agitando su bastón—, *debes* alejarte de allí. ¡Estás ensuciando mi chocolate!

—¡Augustus! —gritó la señora Gloop.

—¡Augustus! —gritó el señor Gloop.

Pero Augustus era sordo a todo menos a la llamada de su estómago. Ahora estaba tumbado en el suelo con su cabeza sobre el río, lamiendo el chocolate como si fuese un perro.

—¡Augustus! —gritó la señora Gloop—. ¡Contagiarás ese resfriado que tienes a un millón de personas en todo el país!

—¡Ten cuidado, Augustus! —gritó el señor Gloop—. ¡Te estás inclinando demasiado!

El señor Gloop tenía razón. De pronto se oyó un grito, y luego el ruido de una salpicadura, y al río cayó Augustus Gloop, y en menos de un segundo había desaparecido bajo la oscura superficie.

—¡Salvadlo! —gritó la señora Gloop, poniéndose pálida y agitando su paraguas—. ¡Se ahogará! ¡No sabe nadar! ¡Salvadlo! ¡Salvadlo!

—¡En nombre del cielo, mujer! —dijo el señor Gloop—. ¡Yo no me meto allí! ¡Llevo puesto mi mejor traje!

La cara de Augustus Gloop volvió a salir a la superficie, marrón de chocolate.

—¡Socorro! ¡Socorro! ¡Socorro! —gritó—. ¡Sacadme de aquí!

—¡No te quedes ahí parado! —le gritó la señora Gloop al señor Gloop—. ¡Haz *algo*!

—¡*Estoy* haciendo algo! —dijo el señor Gloop, que ahora se estaba quitando la chaqueta y preparándose para zambullirse en el chocolate.

Pero mientras hacía esto, el desgraciado muchacho iba siendo succionado y estaba cada vez más cerca de la boca de uno de los tubos que colgaban sobre el río. Entonces, de repente, la intensa succión se apoderó completamente de él, y el niño fue empujado debajo de la superficie y luego dentro de la boca del tubo.

El grupo esperó sin aliento en la orilla del río para ver por dónde iba a salir.

—¡Allá va! —gritó alguien, señalando hacia arriba.

Y efectivamente, como el tubo era de cristal se vió claramente cómo Augustus Gloop salía disparado hacia arriba dentro del tubo como un torpedo.

—¡Socorro! ¡Asesinato! ¡Policía! —chilló la señora Gloop—. ¡Augustus, vuelve aquí inmediatamente! ¿Dónde vas?

—No me explico —dijo el señor Gloop— cómo ese tubo es lo suficientemente ancho para permitirle el paso.

—¡*No* es lo suficientemente ancho! —dijo Charlie Bucket—. ¡Dios mío! ¡Mirad! ¡Se está frenando!

—¡Es verdad! —dijo el abuelo Joe.

—¡Se quedará atascado! —dijo Charlie.

—¡Creo que sí! —dijo el abuelo Joe.

—¡Caramba, se *ha* quedado atascado!— dijo Charlie.

—¡Es por culpa de su estómago! —dijo el señor Gloop.

—¡Ha atascado el tubo entero! —dijo el abuelo Joe.

—¡Al diablo con el tubo! —gritó la señora Gloop, que seguía agitando su paraguas—. ¡Augustus, sal de allí inmediatamente!

Los que miraban desde abajo podían ver cómo el chocolate burbujeaba en el tubo alrededor del niño, y también cómo se agolpaba detrás de él en una sólida masa, presionando contra el taponamiento. La presión era terrible. Algo tenía que ceder. Algo cedió, y ese algo fue Augustus. ¡WHOOOF! Una vez más salió disparado hacia arriba como una bala en el cañón.

—¡Ha desaparecido! —gritó la señor Gloop—. ¿A dónde va ese tubo? ¡De prisa! ¡Llamad a los bomberos!

—¡Mantenga la calma! —gritó el señor Wonka—. Mantenga la calma, mi querida señora, mantenga la calma. ¡No hay peligro! ¡No hay peligro ninguno! Augustus va a hacer un pequeño viaje, eso es todo. Un viaje de lo más interesante. Pero saldrá de él en perfectas condiciones, ya lo verá.

—¿Cómo es posible que salga en perfectas condiciones? —exclamó la señora Gloop—. Le convertirán en bombones en cinco segundos.

—¡Imposible! —gritó el señor Wonka—. ¡Impensable! ¡Inconcebible! ¡Absurdo! ¡No pueden convertirle en bombones!

—¿Y por qué no, si se puede saber? —gritó la señora Gloop.

—¡Porque ese tubo no *va* a la sección de los bombones! —respondió el señor Wonka—. ¡Ni siquiera pasa por allí! Ese tubo, el tubo por el que Augustus ha salido despedido, conduce directamente a una sección donde se fabrica una deliciosa crema de fresas recubierta de chocolate...

—¡Entonces lo convertirán en crema de fresas recubierta de chocolate! —chilló la señora Gloop—. ¡Mi pobre Augustus! ¡Mañana por la mañana le venderán por kilos por todo el país!

—Tienes razón —dijo el señor Gloop.

—¡*Sé* que tengo razón —dijo la señora Gloop.

—No es como para hacer bromas —dijo el señor Gloop.

—¡El señor Wonka no parece compartir tu opinión! —gritó la señora Gloop—. ¡Mírale! ¡Se está riendo a carcajadas! ¿Cómo se atreve a reírse de ese modo cuando mi hijo acaba de ser aspirado por un tubo? ¡Es usted un monstruo! —chilló, amenazando al señor Wonka con su paraguas como si fuese a ensartarle en él. A usted le parece una broma, ¿verdad? A usted le parece que succionar a mi hijo y llevárselo a su sección de crema de fresas recubierta de chocolate es una magnífica broma.

—No le ocurrirá nada —dijo el señor Wonka, riendo ligeramente.

—¡Le convertirán en crema de fresas! —chilló la señora Gloop.

—¡Nunca! —gritó el señor Wonka.

—¡Claro que sí! —chilló la señora Gloop.

—¡Yo no lo permitiría! —gritó el señor Wonka.

—¿Y por qué no? —chilló la señora Gloop.

—¡Porque el sabor sería terrible! —dijo el señor Wonka—. ¡Imagínese! ¡Crema de Augustus recubierta de Gloop! Nadie la compraría.

—¡Claro que la comprarían! —gritó indignado el señor Gloop.

—¡No quiero ni pensarlo! —gritó la señora Gloop.

—Ni yo —dijo el señor Wonka—. Y le prometo, señora, que su hijo está perfectamente a salvo.

—Si está perfectamente a salvo, ¿dónde está entonces? —exclamó la señora Gloop—. ¡Lléveme con él inmediatamente!

El señor Wonka se volvió y chasqueó los dedos, *click, click, click,* tres veces. Al instante apareció un Oompa-Loompa como de la nada y se puso a su lado.

El Oompa Loompa hizo una reverencia y sonrió, enseñando hermosos dientes blancos. Su piel era casi negra, y la parte superior de su lanuda cabeza llegaba a la altura de la rodilla del señor Wonka. Llevaba la acostumbrada piel de ciervo echada sobre uno de sus hombros.

—¡Escúchame bien! —dijo el señor Wonka, mirando al diminuto hombrecillo—. Quiero que lleves al señor y la señora Gloop a la sección de crema de fresas y les ayudes a encontrar a su hijo Augustus. Acaba de irse por uno de los tubos.

El Oompa-Loompa dirigió una mirada a la señora Gloop y luego estalló en sonoras carcajadas.

—¡Oh, cállate! —dijo el señor Wonka—. ¡Contrólate un poco! ¡A la señora Gloop no le parece nada gracioso!

—¡Ya lo creo que no! —dijo la señora Gloop.

—Ve directamente a la sección de crema de fresas —le dijo el señor Wonka al Oompa-Loompa—,

y cuando llegues allí coge un largo palo y empieza a re-
volver el barril donde se mezcla el chocolate. Estoy casi
seguro de que le encontrarás allí. ¡Pero será mejor que
te des prisa! Si lo dejas demasiado tiempo dentro del
barril donde se mezcla el chocolate puede que lo vier-
tan dentro del barril donde se cuece la crema de fresas,
y eso sí que sería un desastre, ¿verdad? ¡Mi crema de
fresas quedaría arruinada!

La señora Gloop dejó escapar un grito de furia.

—Estoy bromeando —dijo el señor Wonka,
riendo silenciosamente detrás de su barba—. No quise
decir eso. Perdóneme. Lo siento. ¡Adiós, señora Gloop!
¡Adiós, señor Gloop! ¡Adiós! ¡Adiós! ¡Les veré más
tarde...!

Cuando el señor y la señora Gloop y su diminuto
acompañante se alejaron corriendo, los cinco Oompa-
Loompas que estaban al otro lado del río empezaron
de pronto a saltar y a bailar y a golpear desenfrenada-
mente unos pequeñísimos tambores.

—¡Augustus Gloop! —cantaban—. ¡Augustus
Gloop! ¡Augustus Gloop! ¡Augustus Gloop!

—¡Abuelo! —exclamó Charlie—. ¡Escúchalos,
abuelo! ¿Qué están haciendo?

—¡Ssshhh! —susurró el abuelo Joe—. ¡Creo
que nos van a cantar una canción!

¡*Augustus Gloop!* —cantaban los Oompa-Loompas.—.
¡*Augustus Gloop!* ¡*Augustus Gloop!*
¡*No puedes ser tan comilón!*
¡*No lo debemos permitir!*
¡*Esto ya no puede seguir!*
¡*Tu gula es digna de pavor,*
Tu glotonería es tal que inspira horror!
Por mucho que este cerdo viva
Jamás será capaz de dar
Siquiera un poco de alegría
O a sus placeres renunciar

Y por lo tanto lo que haremos
En caso tal es lo siguiente:
La suavidad utilizaremos
Un medio sutil y convincente.
Apresaremos al culpable
Y con un mágico ademán
Haremos de él algo agradable
Que a todo el mundo encantará.
Como un juguete, por ejemplo,
Una pelota, un balancín,
Una muñeca o una comba,
Un trompo o un monopatín.
Aunque este niño repugnante
Era tan malo, era tan vil,
Tan comilón y horripilante,
Tan caprichoso e infantil
Que no perdimos un instante
En decidir cuál de sus mil
Vicios era el más importante.
La gula, sí, era el principal,
Por ser pecado capital.
Y a tal vicio, tal castigo.
En eso convendréis, amigos.
¡Ya está! —decidimos—. Ha llegado el día
De dar a este niño su justo escarmiento.
Le haremos pasar por la tubería
Sin dudarlo siquiera un momento.
Y pronto verá, despavorido,
Que en la sala adonde ha ido
A parar, cosas extrañas
Se suceden. Ni sus mañas
Le ayudarán, llegado allí.
¡Oh, Augustus, pobre de ti!
Mas no hay por qué estar alarmados.
Augustus no será dañado.
Aunque sí hemos de admitir
Que será modificado.

Cambiará de lo que ha sido
Una vez que haya pasado
Por el chocolate hervido.
En el barril, poco a poco,
Las ruedas echan a andar.
Cien cuchillos, como locos,
Empiezan a triturar
Lo que hay dentro del brebaje
Mientras gira el engranaje
Que la mezcla ha de licuar.
Añadimos el azúcar
Y los demás ingredientes,
Y con el último hervor
(El chocolate está ardiente)
Ya podemos, sin temor,
Sacar a Augustus del fuego
Para asegurarnos luego
De que ha cambiado, ¡sí, señor!
¡Ha cambiado! ¡Es un milagro!
Este niño, que entró grueso
En el barril, sale magro.
Este niño feo y obeso
Este, a quien nadie quería,
Cambió de la noche al día
Gracias a nuestros desvelos.
Todos le quieren, ¿pues quién podría
Odiar a un riquísimo caramelo?

—¡Ya os dije que les gustaba mucho cantar! —exclamó el señor Wonka—. ¿No son deliciosos? ¿No son encantadores? Pero no debéis creer una sola palabra de lo que han dicho. ¡Son todo pamplinas!

—¿Están realmente bromeando los Oompa-Loompas, abuelo? —preguntó Charlie.

—Claro que están bromeando —respondió el abuelo Joe—. *Deben* estar bromeando. Al menos, *espero* que estén bromeando. ¿Tú no?

18. Por el río de chocolate

—¡Allá vamos! —gritó el señor Wonka—. ¡Daos prisa, todo el mundo! ¡Seguidme a la próxima sección! Y, por favor, no os preocupéis por Augustus Gloop. Ya saldrá con la colada. Todos acaban por salir. ¡Tendremos que hacer la próxima etapa del viaje en barco! ¡Aquí viene! ¡Mirad!

Una vaporosa neblina se levantaba ahora del río de chocolate caliente, y de la neblina surgió súbitamente un fantástico barco de color de rosa. Era un gran barco de remo con una alta proa y una alta popa (como un antiguo barco vikingo), y de un color rosa tan brillante, tan fulgurante y vistoso, que parecía estar hecho de cristal. Había muchos remos a ambos lados de la nave, y a medida que ésta se fue acercando, los observadores de la orilla pudieron ver que los remos eran accionados por grupos de Oompa-Loompas —al menos diez de ellos por cada remo.

—¡Este es mi yate privado! —exclamó el señor Wonka, sonriendo de placer—. ¡Lo he construido vaciando un enorme caramelo de fresa! ¿No es hermoso? ¡Mirad cómo navega por el río!

El brillante barco de caramelo de fresa se deslizó hasta detenerse a la orilla del río. Cien Oompa-Loompas se apoyaron sobre sus remos y contemplaron a los visitantes. Entonces, de pronto, por razones sólo conocidas por ellos mismos, estallaron en grandes carcajadas.

—¿Por qué se ríen? —preguntó Violet Beauregarde.

—¡Oh, no os preocupéis por ellos! —exclamó el señor Wonka—. ¡Siempre se están riendo! ¡Creen que todo es una broma colosal! ¡Subid al barco! ¡Vamos! ¡De prisa!

En cuanto todo el mundo hubo subido a bordo, los Oompa-Loompas empujaron el barco hasta alejarlo de la orilla y empezaron a remar rápidamente río abajo.

—¡Eh, tú! ¡Mike Tevé! —gritó el señor Wonka—. ¡No lamas el barco con la lengua, por favor! ¡Lo único que conseguirás es ponerlo pringoso!

—¡Papá —dijo Veruca Salt—, quiero un barco como éste! ¡Quiero que me compres un barco de caramelo de fresa exactamente igual al del señor Wonka! ¡Y quiero muchos Ooompa-Loompas que me lleven de paseo, y quiero un río de chocolate, y quiero... quiero...

—Lo que quiere es una buena zurra —le susurró a Charlie el abuelo Joe.

El anciano estaba sentado en la popa del barco, y junto a él se hallaba el pequeño Charlie Bucket. Charlie agarraba firmemente la huesuda mano de su abuelo. Estaba muy excitado. Todo lo que había visto hasta ahora (el gran río de chocolate, la cascada, los enormes tubos de succión, las colinas de caramelo, los Oompa-Loompas, el hermoso barco de color de rosa y, sobre todo, el propio señor Willy Wonka) le había parecido tan asombroso que empezó a preguntarse si era posible que quedasen aún muchas más cosas de las que asombrarse. ¿A dónde irían ahora? ¿Qué verían? ¿Y qué sucedería en el próximo recinto?

—¿No es maravilloso? —dijo el abuelo Joe, sonriéndole a Charlie.

Charlie asintió y sonrió a su vez.

De pronto, el señor Wonka, que estaba sentado al otro lado de Charlie, alargó el brazo hasta el fondo del barco, cogió un gran tazón, lo hundió en el río, lo llenó de chocolate y se lo dio a Charlie.

—Bébete esto —dijo—. ¡Te hará bien! ¡Pareces estar hambriento!

Luego el señor Wonka llenó un segundo tazón y se lo dio al abuelo Joe.

—Usted también —dijo—. ¡Parece un esqueleto! ¿Qué ocurre? ¿Es que no han tenido mucha comida en su casa últimamente?

—No mucha —dijo el abuelo Joe.

Charlie acercó el tazón a sus labios, y a medida que el espeso chocolate caliente descendía por su garganta hasta su estómago vacío, su cuerpo entero, de la cabeza a los pies, empezó a vibrar de placer, y una sensación de intensa felicidad se extendió por él.

—¿Te gusta? —preguntó el señor Wonka.

—¡Es maravilloso! —dijo Charlie.

—¡El chocolate más exquisito que he probado nunca! —dijo el abuelo Joe, chasqueando los labios.

—Eso es porque ha sido mezclado en una cascada —le dijo el señor Wonka.

El barco siguió navegando río abajo. El río se iba volviendo más estrecho. Delante de ellos había una especie de oscuro túnel —un gran túnel redondo que parecía la boca de una inmensa tubería— y el río se dirigía directamente a él. ¡Y también el barco! «¡Seguid remando!», gritó el señor Wonka, saltando y agitando su bastón en el aire. «¡A toda marcha!» Y con los Oompa-Loompas remando más de prisa que nunca, el barco se introdujo en el oscurísimo túnel, y todos los pasajeros lanzaron un grito de placer.

—¿Cómo pueden saber adónde van? —gritó Violet Beauregarde en la oscuridad.

—¡No hay modo de adivinarlo! —gritó el señor Wonka, muriéndose de risa.

«¡No hay modo de adivinar
Qué rumbo van a tomar!
¡Imposible averiguar
Dónde nos van a llevar
O el río a desembocar!
Ni una luz se ve brillar,
El peligro va a llegar!
Los remeros a remar
Se dedican sin cesar
Y, por cierto, sin mostrar
Signos de querer cejar...»

—¡Ha perdido la cabeza! —gritó uno de los padres, asombrado, y los demás se unieron al coro de aterrados gritos—. ¡Está loco! —gritaban.

—¡Está loco!

—¡Demente!

—¡Pirado!

—¡Lunático!

—¡Chalado!

—¡Tocado!

—¡Furioso!

—¡Maniático!

—¡No, no lo está! —dijo el abuelo Joe.

—¡Encended las luces! —gritó el señor Wonka. Y de pronto las luces se encendieron, y el túnel entero se iluminó, y Charlie pudo ver que realmente estaban dentro de una gigantesca tubería, y que las grandes paredes curvadas de la tubería eran de un blanco purísimo y estaban inmaculadamente limpias. El río de chocolate fluía a toda velocidad dentro de la tubería, y los Oompa-Loompas remaban como locos, y el barco navegaba a toda marcha. El señor Wonka saltaba y brincaba en la popa del barco, y les gritaba a sus remeros

que remasen aún más de prisa. Parecía adorar la sensación de navegar a toda velocidad a través de un túnel
blanco en un barco de color de rosa por un río de chocolate, y palmoteaba y reía y miraba a sus pasajeros
para ver si ellos estaban disfrutando tanto como él.

—¡Mira, abuelo! —gritó Charlie—. ¡Hay una
puerta en la pared!

Era una puerta verde, y estaba empotrada en la
pared del túnel justamente por encima del nivel del
río. Al pasar por delante tuvieron el tiempo justo de
leer lo que estaba escrito en ella: DEPOSITO NUME-
RO 54, decía. TODAS LAS CREMAS: CREMA DE
LECHE, CREMA BATIDA, CREMA DE VIOLE-
TAS, CREMA DE CAFE, CREMA DE PIÑA, CRE-
MA DE FRESA, CREMA DE VAINILLA Y CREMA
PARA LAS MANOS.

—¿Crema para las manos? —gritó Mike Tevé—. ¿No utilizarán crema para las *manos?*

—¡Seguid remando! —gritó el señor Wonka—.
¡No hay tiempo para contestar preguntas tontas!

Pasaron a toda velocidad delante de una puerta
negra. DEPOSITO NUMERO 71, decía ésta. BATI-
DORES: TODAS LAS FORMAS Y TAMAÑOS.

—¡Batidores! —gritó Veruca Salt—. ¿Para qué
necesitan batidores?

—Para batir la nata, por supuesto —dijo el señor Wonka—. ¿Cómo se puede batir nata sin batidores? La nata batida no es nata batida a menos que haya
sido batida con batidores. Lo mismo que un huevo
escalfado no es un huevo escalfado * a menos que haya
sido robado en el bosque en plena noche. ¡Seguid remando, por favor!

Pasaron delante de una puerta amarilla sobre la
cual decía: DEPOSITO NUMERO 77. TODOS LOS
GRANOS: GRANOS DE CAFE, GRANOS DE CA-

---

* Juego de palabras imposible de traducir. Poached, en inglés, tiene
el doble sentido de «escalfado» y «birlado».—(N. *del T.*)

CAO, GRANOS DE AZUCAR Y GRANOS DE
ARENA.

—¿*Granos de arena?* —gritó Violet Beauregarde.

—¡Tú tienes la cabeza llena de ellos! —dijo el
señor Wonka—. ¡No hay tiempo para discutir! ¡Seguid
adelante, seguid adelante!

Pero cinco segundos más tarde, cuando apareció
ante ellos una puerta de color rojo brillante, éste agitó
súbitamente su bastón en el aire y gritó:

—¡Detened el barco!

19. La Sala de Invenciones - Caramelos Eternos y Toffe Capilar

Cuando el señor Wonka gritó «¡Detened el barco!», los Oompa-Loompas clavaron los remos en el río y empezaron a remar hacia atrás furiosamente. El barco se detuvo.

Los Oompa-Loompas guiaron el barco hasta colocarlo paralelamente a la puerta roja. Sobre la puerta decía: SALA DE INVENCIONES. PRIVADO. PROHIBIDO ENTRAR. El señor Wonka sacó una llave de su bolsillo, se inclinó fuera del barco y metió la llave en la cerradura.

—¡*Esta* es la sección más importante de toda la fábrica! —dijo—. ¡Todas mis nuevas invenciones más secretas se preparan y se cocinan aquí! ¡El viejo Fickelgruber daría cualquier cosa por poder entrar aquí aunque sólo fuera durante tres minutos! ¡Y lo mismo Prodnose y Slugworth y todos los demás fabricantes de chocolate! Pero ahora, ¡escuchadme bien! ¡No quiero que toquéis nada una vez que estemos dentro! ¡No podéis tocar, ni fisgonear, ni probar nada! ¿De acuerdo?

—¡Sí, sí! —exclamaron los niños—. ¡No tocaremos nada!

—Hasta ahora —dijo el señor Wonka— a nadie, ni siquiera a un Oompa-Loompa, le he permitido entrar aquí.

Abrió la puerta y saltó del barco a la habitación. Los cuatro niños y sus padres le siguieron apresuradamente.

—¡No toquéis! —gritó el señor Wonka—. ¡Y no tiréis nada al suelo!

Charlie Bucket examinó la gigantesca habitación en la que ahora se encontraba. ¡Parecía la cocina de una bruja! A su alrededor había negras cacerolas de metal hirviendo y burbujeando sobre enormes fogones, y peroles friendo y ellas cociendo, y extrañas máquinas de hierro repicando y salpicando, y había tuberías a lo largo del techo y de las paredes, y toda la habitación estaba llena de humo y de vapor y de deliciosos aromas.

El propio señor Wonka se había puesto de repente más excitado que de costumbre, y cualquiera podía ver fácilmente que ésta era su habitación favorita. Saltaba y brincaba entre las ollas y las máquinas como un niño entre sus regalos de Navidad, sin saber a dónde dirigirse primero. Levantó la tapa de una enorme cacerola y aspiró su aroma; luego, salió corriendo y metió un dedo en un barril lleno de una pegajosa mezcla de color amarillo y la probó; luego, se dirigió hacia una de las máquinas e hizo girar media docena de válvulas a la derecha y a la izquierda; luego, miró ansiosamente a través de la puerta de cristal de un horno gigantesco, frotándose las manos y lanzando risitas de placer ante lo que vio dentro. Luego corrió hacia otra de las máquinas, un pequeño y brillante artefacto que hacía *plop, plop, plop, plop, plop,* y cada vez que hacía *plop,* dejaba caer una canica de color verde a un cesto que había en el suelo. Al menos, parecía una canica.

—¡Caramelos eternos! —gritó orgullosamente el señor Wonka—. ¡Son completamente nuevos! Los estoy inventado para los niños que reciben una escasa paga semanal. Te metes un Caramelo Eterno en la boca y lo chupas y lo chupas y lo chupas y lo chupas y *nunca* se hace más pequeño.

—¡Es como chicle! —exclamó Violet Beauregarde.

—*No* es como chicle —dijo el señor Wonka—. El chicle es para ser masticado, y si intentases masticar uno de estos caramelos te romperías los dientes. ¡Pero

20. La gran máquina de chicle

El señor Wonka condujo al grupo a una gigantesca máquina que se hallaba en el centro mismo de la Sala de Invenciones. Era una montaña de brillante metal que se elevaba muy por encima de los niños y sus padres. De un extremo superior salían cientos y cientos de finos tubos de cristal, y los tubos de cristal se torcían hacia abajo y se unían en un gran conglomerado y colgaban suspendidos sobre una enorme tinaja redonda del tamaño de una bañera.

—¡Allá vamos! —gritó el señor Wonka, y apretó tres botones diferentes en un costado de la máquina.

Un segundo más tarde se oyó un poderoso rugido sordo que provenía de su interior, y la máquina entera empezó a vibrar aterradoramente, y de todas partes empezaron a surgir nubes de vapor, y de pronto, los asombrados observadores vieron que una mezcla líquida estaba empezando a correr por el interior de los cientos de tubos de cristal y a caer dentro de la gran tinaja. Y en cada uno de los tubos la mezcla era de un color diferente, de modo que todos los colores del arco iris (y muchos otros además) caían borboteando y salpicando dentro de la tinaja. Era un espectáculo muy hermoso. Y cuando la tinaja estuvo casi llena, el señor Wonka apretó otro botón, e inmediatamente la mezcla líquida dejó de salir de los tubos, el ruido sordo desapareció y un sonido chirriante lo reemplazó; y entonces un gigantesco batidor empezó a batir el líquido que había caído en la tinaja, mezclando todos los líquidos de diferentes colores como si fueran helado. Gradualmente, la mezcla empezó a hacer espuma. Se fue

haciendo cada vez más espumosa, y se volvió de color
azul, y luego blanco, y luego verde, y luego marrón,
y luego amarillo, y finalmente azul otra vez.

—¡Mirad! —dijo el señor Wonka.

La máquina hizo *click* y el batidor dejó de batir. Y ahora se oyó una especie de sonido de succión,
y rápidamente toda la espumosa mezcla de color azul
que había en la tinaja fue succionada otra vez dentro
del estómago de la máquina. Hubo un momento de silencio. Luego se oyeron unos extraños zumbidos. Luego, silencio otra vez. Entonces, de pronto, la máquina
dejó escapar un monstruoso quejido, y en el mismo
momento un diminuto cajón (no más grande que los
de las máquinas tragaperras) emergió de uno de los
costados de la máquina, y en el cajón había algo tan
pequeño, tan delgado y gris que todo el mundo pensó
que allí había habido un error. La cosa parecía un trocito de cartón gris.

Los niños y sus padres se quedaron mirando la delgada tableta gris que había en el cajón.

—¿Quiere decir que eso es *todo?* —dijo Mike Tevé despreciativamente.

—Eso es todo —replicó el señor Wonka, contemplando orgullosamente el resultado—. ¿No sabéis lo que es?

Hubo una pausa. Entonces, súbitamente, Violet Beauregarde, la fanática del chicle, dejó escapar un grito de entusiasmo.

—¡Por todos los santos, es chicle! —chilló—. ¡Es una tableta de chicle!

—¡Así es! —gritó el señor Wonka, dándole a Violet una palmada en la espalda—. ¡Es una tableta de chicle! ¡Es una tableta del chicle más *asombroso,* más *fabuloso,* más *sensacional* del mundo!

21. Adiós, Violet

—Este chicle —prosiguió el señor Wonka— es mi último, mi más importante, mi más fascinante invento! ¡Es una comida de chicle! ¡Es... es... es... esa pequeña tableta de chicle es una comida entera de tres platos en sí misma!

—¿Qué tontería es ésa? —dijo uno de los padres.

—¡Mi querido señor! —gritó el señor Wonka—. Cuando yo empiece a vender este chicle en las tiendas *todo* cambiará! ¡Será el fin de las cocinas! ¡Se acabará el tener que guisar! ¡Ya no habrá que ir al mercado! ¡Ya no habrá que comprar carne, ni verduras, ni todas las demás provisiones! ¡Ya no se necesitarán cuchillos y tenedores para comer! ¡No habrá más platos que lavar! ¡Ni desperdicios! ¡Sólo una pequeña tableta del chicle mágico de Wonka, y eso es todo lo que necesitará para el desayuno, el almuerzo y la cena! ¡Esta tableta de chicle que acabo de hacer contiene sopa de tomate, carne asada y pastel de arándanos, pero puede usted escoger casi todo lo que quiera!

—¿Qué quiere decir con eso de que contiene sopa de tomate, carne asada y pastel de arándanos? —dijo Violet Beauregarde.

—Si empezaras a masticarla —dijo el señor Wonka—, eso es exactamente lo que se incluiría en el menú. ¡Es absolutamente asombroso! ¡Hasta se puede *sentir* la comida pasando por la garganta hasta el estómago! ¡Y se la puede saborear perfectamente! ¡Y lo llena a uno! ¡Le satisface! ¡Es magnífico!

—¡Es totalmente imposible! —dijo Veruca Salt.

—¡Siempre que sea chicle —gritó Violet Beauregarde—, siempre que sea un trozo de chicle que yo pueda masticar, esto es para mí! —y rápidamente se quitó de la boca el chicle con el que había batido el récord mundial y se lo pegó detrás de la oreja izquierda—. Vamos, señor Wonka —dijo—, déme ese chicle mágico que ha inventado, y veamos si funciona.

—Por favor, Violet —dijo la señora Beauregarde, su madre—, no hagamos tonterías, Violet.

—¡Yo quiero el chicle! —dijo obstinadamente Violet—. ¿Qué tiene eso de tontería?

—Yo preferiría que no lo probases —dijo suavemente el señor Wonka—. Verás, aún no lo he perfeccionado del todo. Hay todavía una o dos cosas...

—¡Oh, qué importa eso! —dijo Violet, y de pronto, antes de que el señor Wonka pudiese detenerla, alargó una mano regordeta, cogió la tableta de chicle que estaba en el cajón y se la metió en la boca. Instantáneamente, sus enormes y bien entrenadas mandíbulas empezaron a masticarlo como un par de tenazas.

—¡No! —dijo el señor Wonka.

—¡Fabuloso! —gritó Violet—. ¡Es sopa de tomate! ¡Caliente, espesa y deliciosa! ¡Puedo sentir cómo pasa por mi garganta!

—¡Detente! —dijo el señor Wonka—. ¡El chicle aún no está listo! ¡No está bien!

—¡Claro que está bien! —dijo Violet—. ¡Funciona estupendamente! ¡Vaya, esta sopa está riquísima!

—¡Escúpelo! —dijo el señor Wonka.

—¡Está cambiando! —gritó Violeta, masticando y sonriendo al mismo tiempo—. ¡Ya viene el segundo plato! ¡Es carne asada! ¡Tierna y jugosa! ¡Y qué buen sabor tiene! ¡La patata asada también está exquisita! ¡Tiene una piel crujiente y está llena de mantequilla derretida!

—¡*Qué* interesante, Violet! —dijo la señora Beauregarde—. Eres una niña muy lista.

—Como un arándano —dijo el señor Wonka.

—¡Llamad a un médico! —gritó el señor Beauregarde.

—¡Pinchadla con un alfiler! —dijo uno de los padres.

—¡Salvadla! —gritó la señora Beauregarde, retorciéndose las manos.

Pero ya no había modo de salvarla. Su cuerpo se estaba hinchando y cambiando de forma a tal velocidad que al cabo de un minuto se había convertido en nada menos que una enorme pelota de color azul —un arándano gigantesco, en realidad— y todo lo que quedaba de la propia Violet Beauregarde era un par de piernas diminutas y un par de brazos diminutos que salían de la inmensa fruta redonda, y una pequeñísima cabeza.

—Siempre ocurre lo mismo —suspiró el señor Wonka—. Lo he probado veinte veces en la Sala de Pruebas con veinte Oompa-Loompas y cada uno de ellos terminó como un arándano. Es muy enojoso. No puedo comprenderlo.

—¡Pero yo no quiero una hija que sea un arándano! —gritó la señora Beauregarde—. ¡Vuélvala en seguida a lo que era antes!

El señor Wonka chasqueó los dedos, y diez Oompa-Loompas aparecieron inmediatamente a su lado.

—Rodad a la señorita Beauregarde dentro del bote —les dijo— y llevadla en seguida a la Sección de Exprimidos.

—¡La *Sección de Exprimidos*! —gritó la señora Beauregarde—. ¿Qué le harán allí?

—Exprimirla —dijo el señor Wonka—. Tenemos que exprimirla inmediatamente. Después de eso tendremos que ver lo que sucede. Pero no se preocupe, mi querida señora Beauregarde. La repararemos, aunque sea lo último que hagamos. Lo siento mucho, de verdad que lo siento...

Los diez Oompa-Loompas ya estaban rodando el gigantesco arándano por el suelo de la Sala de las Invenciones hacia la puerta que conducía al río de chocolate donde esperaba el barco. El señor y la señora Beauregarde corrieron tras ellos. El resto del grupo, incluyendo al pequeño Charlie Bucket y al abuelo Joe, se quedaron absolutamente inmóviles viéndoles partir.

—¡Escucha! —susurró Charlie—. ¡Escucha, abuelo! ¡Los Oompa-Loompas que están en el barco han empezado a cantar!

Las voces, cien voces cantando al unísono, podían oírse claramente en la habitación:

No me cabe duda, queridos amigos,
De que estáis en esto de acuerdo conmigo:
No hay nada que más repulsión pueda dar
Que un niño que masca chicle sin cesar.
(Es un vicio tan malo, vulgar e infeliz
Como el de meterse el dedo en la nariz.)
De modo que es cierto, tenemos razón,
El chicle no es nunca una compensación.
Esta horrible costumbre os hará acabar mal
Enviándoos a un pegasojo final.
¿Alguno de vosotros conoce o ha oído
Hablar de un tal señorita Bellido?
Esta horrible mujer nada malo veía
En mascar y mascar a lo largo del día.
Mascaba bañándose en su bañera,
Mascaba, bailando, la noche entera.
Mascaba en la iglesia y hasta en el tranvía
¡Mascar es lo único que la pobre hacía!
Y cuando perdía su chicle, mascaba
Trozos de linóleo que del suelo arrancaba.
O cualquier otra cosa, lo que hallase primero,
Un par de botas viejas, la oreja del cartero,
Los guantes de su tía, el ala de un sombrero.
¡Hasta llegó a mascarle la nariz al frutero!

Y así siguió mascando, hasta que llegó un día
En que sus maxilares (yo ya me lo temía)
Alcanzaron tal envergadura, por fin,
Que su enorme mandíbula parecía un violín.
Durante años y años masticó sin cesar
Y cien chicles, o mil, consumió,
Hasta que una noche, al irse a acostar
He aquí lo que le sucedió:
En la cama leyó durante media hora
Sin dejar su vicio satánico.
En verdad, nuestra pobre señora
Parecía un cocodrilo mecánico.
Por fin decidió colocar
El chicle sobre una bandeja
Y para dormirse se puso a contar
Como otros insomnes, ovejas.
Pero, ¡qué extraño!, aunque dormía
Y el chicle acababa de dejar
Sus maxilares se movían
Aún sin nada que mascar.
¡Estaban ya tan habituados
Que no podían estar cerrados!
Y era siniestro oír el crujido
Que en medio de la oscuridad

Hacían sus dientes. Era un ruido
Que daba miedo de verdad.
Así siguió la noche entera,
Pero al llegar la madrugada
Se dio la cruelísima ocasión
De que sus fauces decidieran
Abrirse en toda su extensión
Dando un tremendo tarascón
Que le arrancó la lengua entera.
Y desde entonces, la señora
A fuerza de tanto masticar,
Se quedó muda, y hasta ahora
Nunca más ha vuelto a hablar.
Su caso resultó notorio
Y fue a parar a un sanatorio
Que ya no ha vuelto a abandonar.
Así, queremos intentar
Salvar a Violet Beauregarde
De un destino similar.
Aún es joven, no es muy tarde,
Y aunque la prueba sea dura
Esperemos, sin alardes,
Que sobreviva la cura.
Quizá lo haga, pronto o tarde.
La cosa no es muy segura.

22. Por el corredor

—Vaya, vaya, vaya —suspiró el señor Willy Wonka—, hemos perdido a dos niños traviesos. Quedan tres niños buenos. ¡Creo que lo mejor será que salgamos en seguida de esta habitación antes de perder a otro!

—Pero, señor Wonka —dijo ansiosamente Charlie Bucket—, ¿se pondrá bien Violet Beauregarde o se quedará para siempre convertida en arándano?

—¡La exprimirán sin pérdida de tiempo! —declaró el señor Wonka—. ¡La harán rodar dentro del exprimidor y saldrá de él delgada como un hilo!

—¿Pero seguirá siendo de color azul? —preguntó Charlie.

—¡Será de color *púrpura!* —gritó el señor Wonka—. ¡De un hermoso color púrpura de la cabeza a los pies! ¡Pero qué vamos a hacer! ¡Eso es lo que ocurre cuando se masca un repugnante chicle todo el día!

—Si opina que el chicle es tan repugnante —dijo Mike Tevé—, ¿por qué lo hace usted en su fábrica?

—Me gustaría que hablaras más alto —dijo el señor Wonka—. No oigo una palabra de lo que dices. ¡Vamos! ¡Adelante! ¡Seguidme! ¡Volvemos otra vez a los corredores!

Y diciendo esto, el señor Wonka se dirigió a un extremo de la Sala de Invenciones y salió por una pequeña puerta secreta escondida detrás de un montón de tuberías y fogones. Los tres niños restantes, Veruca Salt, Mike Tevé y Charlie Bucket, junto con los cinco adultos que quedaban, salieron tras él.

Charlie Bucket vio que estaba ahora otra vez en uno de aquellos largos corredores pintados de rosa del que salían muchos otros corredores iguales. El señor Wonka corría delante de ellos, torciendo a la derecha y a la izquierda y a la derecha, y el abuelo Joe estaba diciendo:

—No te sueltes de mi mano, Charlie. Sería terrible perderse aquí.

El señor Wonka estaba diciendo:

—¡No tenemos tiempo que perder! ¡Jamás llegaremos a ningún sitio al ritmo que llevamos! —y siguió adelante por los interminables corredores rosados, con su chistera negra encasquetada en la cabeza y los faldones de su frac de terciopelo color ciruela volando detrás como una bandera al viento.

Pasaron delante de una puerta en la pared.

—¡No tenemos tiempo para entrar! —gritó el señor Wonka—. ¡Adelante! ¡Adelante!

Pasaron delante de otra puerta, y luego de otra, y de otra más. Ahora había puertas cada veinte pasos a lo largo del corredor, y todas tenían algo escrito, y extraños sonidos metálicos se oían detrás de varias de ellas, y deliciosos aromas se filtraban a través de los ojos de sus cerraduras, y a veces, pequeñas corrientes de vapor coloreado salían por las rendijas de debajo.

Charlie y el abuelo Joe debían andar a toda velocidad, casi corriendo, para mantener el paso del señor Wonka, pero pudieron leer lo que decía en algunas de las puertas a medida que pasaban delante de ellas. «ALMOHADAS COMESTIBLES DE MERENGUE», decía en una de ellas.

—¡Las almohadas de merengue son estupendas! —gritó el señor Wonka al pasar por allí—. ¡Harán furor cuando las envíe a las tiendas! ¡Pero no hay tiempo para entrar! ¡No hay tiempo para entrar!

«PAPEL COMESTIBLE PARA EMPAPELAR LOS CUARTOS DE LOS NIÑOS», decía en la puerta siguiente.

—¡El papel comestible es algo maravilloso!
—gritó el señor Wonka, al pasar corriendo ante la
puerta—. Tiene dibujos de frutas —plátanos, manzanas, naranjas, uvas, piñas, fresas y cornarinas...

—¿*Cornarinas?* —dijo Mike Tevé.

—¡No interrumpas! —dijo el señor Wonka—.
El papel lleva estampados dibujos de todas estas frutas,
y cuando se lame el dibujo de un plátano, sabe a plátano. Cuando se lame una fresa, sabe a fresa. Y cuando
se lame una cornarina, sabe a cornarina...

—¿Pero a qué sabe una cornarina?

—Vuelves a hablar en voz baja —dijo el señor
Wonka—. La próxima vez habla más alto. ¡Adelante!
¡Daos prisa!

«HELADOS CALIENTES PARA DIAS
FRIOS», decía en la próxima puerta.

—*Muy* útiles en invierno —dijo el señor Wonka, siempre corriendo—. El helado caliente reconforta
muchísimo cuando el tiempo es muy frío. También
fabrico cubos de hielo calientes para poner en las bebidas calientes. Los cubos de hielo calientes hacen que
las bebidas calientes sean aún más calientes.

«VACAS QUE DAN LECHE CON CHOCO-
LATE», decía en la puerta siguiente.

—¡Ah, mis preciosas vaquitas! —exclamó el señor Wonka—. ¡Cómo quiero yo a esas vacas!

—Pero, ¿por qué no podemos *verlas?* —preguntó Veruca Salt—. ¿Por qué tenemos que pasar corriendo delante de todas estas hermosas habitaciones?

—¡Ya nos detendremos cuando llegue el momento! —dijo el señor Wonka—. ¡No seas tan impa-
ciente!

«BEBIDAS GASEOSAS QUE LEVANTAN»,
decía en la próxima puerta.

—¡Oh, ésas son fabulosas! —gritó el señor
Wonka—. Te llenan de burbujas, y las burbujas están
llenas de un gas especial, y este gas es tan potente que
te levanta del suelo como si fueras un globo, y te ele-

vas hasta que tu cabeza se da contra el techo, y allí te quedas.

—Pero, ¿cómo se vuelve a bajar otra vez? —preguntó el pequeño Charlie.

—Eructando, por supuesto —dijo el señor Wonka—. Haciendo un largo, vigoroso, grosero, eructo, con lo que el gas *sube* y tú *bajas*. ¡Pero no las bebáis al aire libre! No se sabe hasta dónde podéis ascender si lo hacéis. Yo le di un poco a un Oompa-Loompa una vez en el jardín y empezó a subir y a subir y a subir hasta que desapareció. Fue muy triste. Nunca más le volví a ver.

—Debía haber eructado —dijo Charlie.

—Claro que debía haber eructado —dijo el señor Wonka—. Yo le gritaba: «Eructa, tonto, eructa, o no podrás volver a bajar.» Pero no lo hizo, o no pudo hacerlo, o no quiso hacerlo. No lo sé. Quizá fuese demasiado educado. Ahora ya debe estar en la Luna.

En la próxima puerta decía: «CARAMELO CUADRADO QUE SE VUELVE REDONDO».

—¡Esperad! —gritó el señor Wonka, frenando de pronto hasta detenerse—. Estoy muy orgulloso de mi caramelo cuadrado que se vuelve en redondo. Echemos un vistazo.

23. Caramelos cuadrados que se vuelven en redondo

Todo el mundo se detuvo y se agolpó junto a la puerta. La mitad superior de la puerta estaba hecha de cristal. El abuelo Joe levantó al pequeño Charlie para que éste pudiese ver mejor, y mirando al interior, Charlie vio una larga mesa, y sobre la mesa, filas y filas de pequeños caramelos blancos de forma cuadrada. Los caramelos se asemejaban mucho a cuadrados terrones de azúcar —excepto que cada uno de ellos tenía una graciosa carita rosada pintada en uno de sus lados. En un extremo de la mesa, un grupo de Oompa-Loompas pintaban afanosamente nuevas caritas en más caramelos.

—¡Allí los tenéis! —gritó el señor Wonka—. ¡Caramelos cuadrados que se vuelven en redondo!

—No veo cómo pueden volverse en redondo si son cuadrados —dijo Mike Tevé.

—Son cuadrados —dijo Veruca Salt—. Son completamente cuadrados.

—Claro que *son* cuadrados —dijo el señor Wonka—. Yo nunca he dicho que no lo fueran.

—¡Usted dijo que se volvían en redondo! —dijo Veruca Salt.

—Yo nunca dije eso —dijo el señor Wonka—. Dije que eran unos caramelos cuadrados que se volvían *en redondo*.

—¡Pero no se vuelven en redondo! —dijo Veruca Salt—. ¡Siguen siendo cuadrados!

—Se vuelven en redondo —insistió el señor Wonka.

—¡Claro que no se vuelven en redondo! —gritó Veruca Salt.

—Veruca, cariño —dijo la señora Salt—, no le hagas caso al señor Wonka. Te está mintiendo.

—Mi querida merluza —dijo el señor Wonka—, vaya a que le frían la cabeza.

—¡Cómo se atreve a hablarme así! —gritó la señora Salt.

—¡Oh, cállese! —dijo el señor Wonka—. ¡Y ahora, mirad esto! —sacó una llave de su bolsillo, abrió la puerta, la empujó... y de pronto... al ruido de la puerta que se abría, todas las filas y filas de pequeños caramelos cuadrados se volvieron rápidamente en redondo para ver quién entraba. Las diminutas caritas se volvieron realmente hacia la puerta y miraron al señor Wonka.

—¡Allí lo tenéis! —gritó éste triunfalmente—. ¡Se ha vuelto en redondo! ¡No hay discusión alguna! ¡Es un caramelo cuadrado que se vuelve en redondo!

—¡Caramba, tiene razón! —dijo el abuelo Joe.

—¡Vamos! —dijo el señor Wonka, echando a caminar corredor abajo—. ¡Adelante! ¡No debemos demorarnos!

«BOMBONES DE LICOR Y CARAMELOS DE WHISKY», decía en la puerta siguiente.

—Ah, eso parece bastante más interesante —dijo el señor Salt, el padre de Veruca.

—¡Son deliciosos! —dijo el señor Wonka—. A todos los Oompa-Loompas les encantan. Les pone achispados. ¡Escuchad! Se les puede oír allí adentro, hechos unas uvas.

Sonoras carcajadas y canciones podían oírse a través de la puerta cerrada.

—Están borrachos como cubas —dijo el señor Wonka—. Están bebiendo caramelos de whisky con soda. Eso es lo que más les gusta. Aunque los bombones de licor también son muy populares. ¡Seguidme, por favor! No deberíamos detenernos tanto —torció a la izquierda. Torció a la derecha. Llegaron a unas largas escaleras. El señor Wonka se deslizó baranda abajo. Los tres niños hicieron lo mismo. La señora Salt y la señora Tevé, las dos únicas señoras que quedaban en el grupo, se estaban quedando sin aliento. La señora Salt era una señora muy gorda con piernas cortas, y jadeaba como un rinoceronte—. ¡Por aquí! —gritó el señor Wonka, doblando a la izquierda al final de las escaleras.

—¡Vaya más despacio! —jadeó la señora Salt.

—Imposible —dijo el señor Wonka—. Jamás llegaríamos a tiempo allí si lo hiciera.

—¿A dónde? —preguntó Veruca Salt.

—No seas curiosa —dijo el señor Wonka—. Espera y verás.

24. Veruca en el cuarto de las nueces

El señor Wonka siguió andando rápidamente por el corredor. «CUARTO DE LAS NUECES», decía en la puerta siguiente.

—Está bien —dijo el señor Wonka—. Deteneos aquí un momento y recobrad vuestro aliento, y echad un vistazo a través del panel de vidrio de esta puerta. ¡Pero no entréis! Hagáis lo que hagáis, no entréis en el CUARTO DE LAS NUECES. ¡Si entráis, interrumpiréis a las ardillas!

Todos se apretujaron contra la puerta.

—¡Oh, mira, abuelo, mira! —gritó Charlie.

—¡Ardillas! —chilló Veruca Salt.

—¡Caray! —dijo Mike Tevé.

Era un espectáculo asombroso. Alrededor de una gran mesa había cien ardillas sentadas en altos taburetes. Sobre la mesa había montañas y montañas de nueces, y las ardillas trabajaban como locas partiendo las nueces a tremenda velocidad.

—¿Por qué utiliza ardillas? —preguntó Mike Tevé—. ¿Por qué no utiliza a los Oompa-Loompas?

—Porque —dijo el señor Wonka— los Oompa-Loompas no pueden sacar las nueces de sus cáscaras sin romperlas. Siempre las rompen en dos. Nadie excepto las ardillas pueden sacar las nueces *enteras* de su cáscara. Es muy difícil. Pero en mi fábrica insisto en que sólo se utilicen nueces enteras. Por lo tanto, necesito ardillas para hacer ese trabajo. ¿No es maravilloso ver cómo parten esas nueces? Y mirad cómo golpean las nueces con los nudillos para asegurarse de que no están malas. Si está mala, suena a hueco, y ni se molestan en abrirla. La tiran por el agujero de los desperdicios. ¡Mirad! ¡Allí! ¡Mirad a esa ardilla que está cerca de nosotros! ¡Creo que ha encontrado una nuez mala!

Todos miraron a la pequeña ardilla mientras ésta golpeaba la nuez con los nudillos. Inclinó hacia un lado la cabeza, escuchando atentamente, y luego, de repente, arrojó la nuez por encima de su hombro a un enorme agujero que había en el suelo.

—¡Eh, mamá! —gritó de pronto Veruca Salt—. ¡He decidido que quiero una ardilla! ¡Cómprame una de esas ardillas!

—No seas tonta, cariño —dijo la señora Salt—. Todas estas ardillas pertenecen al señor Wonka.

—¡Eso no me importa! —gritó Veruca—. Quiero una. En casa sólo tengo dos perros, cuatro gatos, seis conejos, dos periquitos, tres canarios, un loro verde, una tortuga, una pecera llena de peces, una jaula de ratones blancos y un estúpido hamster. ¡Yo quiero una ardilla!

—Está bien, tesoro —dijo conciliadora la señora Salt—. Mamá te comprará una ardilla en cuanto pueda.

—¡Pero yo no quiero *cualquier* ardilla! —gritó Veruca—. ¡Quiero una ardilla *amaestrada*!

En ese momento el señor Salt, el padre de Veruca, dio un paso adelante.

—Muy bien, Wonka —dijo con gesto importante, sacando una cartera llena de dinero—, ¿cuánto
quiere por una de esas ridículas ardillas? Diga un
precio.

—No están a la venta— replicó el señor Wonka—. No puede quedarse con ninguna.

—¿Quién dice que no? —gritó Veruca—. ¡En-
traré a coger una ahora mismo!

—¡No! —dijo rápidamente el señor Wonka,
pero llegó demasiado tarde. La niña ya había abierto
la puerta y se había metido dentro.

En el momento en que entró en la habitación,
las cien ardillas dejaron lo que estaba haciendo, volvieron la cabeza y la miraron con sus pequeños ojillos
negros.

Veruca también se detuvo y las miró a su vez.
Entonces sus ojos se posaron en una graciosa ardillita
que estaba sentada cerca de ella en un extremo de la
mesa. La ardilla sostenía una nuez entre sus patas.

—Muy bien —dijo Veruca—. ¡Me quedo contigo.

Alargó las manos para coger a la ardilla..., pero
en el momento de hacerlo..., en aquel preciso momento en que sus manos empezaron a moverse hacia adelante, hubo un súbito movimiento en la habitación,
como un relámpago de color marrón, y todas las ardillas que había en la habitación dieron un salto en el aire
en dirección a la niña y aterrizaron sobre su cuerpo.

Veinticino ardillas cogieron su brazo derecho y
lo sujetaron.

Veinticinco ardillas más cogieron su brazo iz-
quierdo y lo sujetaron también.

Veinticinco cogieron su pierna derecha y la an-
claron contra el suelo.

Veinti*cuatro* cogieron su pierna izquierda.

Y la ardilla que quedaba (evidentemente el ca-
becilla del grupo) se subió a su hombro y empezó a

golpear la cabeza de la desgraciada niña con los nudillos.

—¡Salvadla! —gritó la señora Salt—. ¡Veruca! ¡Vuelve aquí! ¿Qué le están *haciendo*?

—Están probándola para ver si es una mala nuez —dijo el señor Wonka—. Observen.

Veruca se defendía furiosamente, pero las ardillas la sujetaban con fuerza y la niña no podía moverse. La ardilla que estaba posada en su hombro seguía golpeando la cabeza con los nudillos.

Entonces, súbitamente, las ardillas tiraron al suelo a Veruca y empezaron a transportarla a través de la habitación.

—Dios mío, *es* una mala nuez después de todo —dijo el señor Wonka—. Su cabeza debe haber sonado a hueco.

Veruca gritaba y pataleaba, pero esto no sirvió de nada. Las diminutas patitas la sujetaban muy bien, y la niña no podía escapar.

25. El gran ascensor de cristal

—¡Nunca he visto nada como esto! —gritó el señor Wonka—. ¡Los niños están desapareciendo como conejos! ¡Pero no debéis preocuparos! *¡Todos* volverán a aparecer!

El señor Wonka miró al pequeño grupo que estaba junto a él en el corredor. Ahora sólo quedaban dos niños, Mike Tevé y Charlie Bucket. Y tres adultos, el señor y la señora Tevé y el abuelo Joe.

—¿Seguimos adelante? —dijo el señor Wonka.

—¡Oh, sí! —gritaron al unísono Charlie y el abuelo Joe.

—Me están empezando a doler los pies —dijo Mike Tevé—. Yo quiero ver televisión.

—Si estás cansado, será mejor que cojamos el ascensor —dijo el señor Wonka—. Está aquí. ¡Vamos! ¡Adentro!

Cruzó el pasaje en dirección a una puerta de dos hojas. Las puertas se abrieron. Los dos niños y los mayores entraron.

—Muy bien —exclamó el señor Wonka—, ¿cuál de los botones apretaremos primero? ¡Podéis escoger!

Charlie Bucket miró asombrado a su alrededor. Este era el ascensor más extraordinario que había visto nunca. ¡Había botones por todas partes! ¡Las paredes, y aun hasta el *techo,* estaban cubiertas de filas y filas de pequeños botones negros! ¡Debía haber unos mil botones en cada una de las paredes, y otros tantos en el techo! Y ahora Charlie se percató de que cada uno de los botones tenía a su lado un diminuto cartelito impreso diciendo a qué sección de la fábrica sería uno conducido si lo apretaba.

—¡Este no es un ascensor ordinario de los que van hacia arriba y hacia abajo! —anunció orgullosamente el señor Wonka—. Este ascensor puede ir de costado, a lo largo y en diagonal, y en cualquier otra dirección que se os ocurra. ¡Puedo visitar con él cualquier sección de la fábrica, no importa dónde esté! ¡Simplemente se aprieta un botón y... *zing*... se parte!

—¡*Fantástico*! —murmuró el abuelo Joe. Sus ojos brillaban de entusiasmo contemplando las filas y filas de botones.

—¡El ascensor entero está hecho de grueso cristal transparente! —declaró el señor Wonka—. ¡Las paredes, las puertas, el techo, el suelo, todo está hecho de cristal para poder ver el exterior!

—Pero no hay nada que ver —dijo Mike Tevé.

—¡Escoged un botón! —dijo el señor Wonka—. Los dos niños pueden apretar un botón cada uno. De

modo que decidíos. ¡De prisa! Algo delicioso y maravilloso se está preparando en cada una de las secciones.

Rápidamente, Charlie empezó a leer algunas de
las inscripciones que había junto a cada botón.

MINAS DE CARAMELO. 300 METROS DE
PROFUNDIDAD, decía en una de ellas.

PISTAS DE PATINAJE HECHAS DE LECHE
DE COCO CONGELADA, decía en otra.

Luego... PISTOLAS DE AGUA DE ZUMO DE
FRUTAS.

ARBOLES DE MANZANAS DE CARAMELO
PARA PLANTAR EN SU JARDIN. TODOS LOS
TAMAÑOS.

CARAMELOS EXPLOSIVOS PARA SUS
ENEMIGOS.

CHUPA-CHUPS LUMINOSOS PARA COMER
DE NOCHE EN LA CAMA.

CARAMELOS DE MENTA PARA SU RIVAL
AMOROSO. LE DEJAN LOS DIENTES VERDES
DURANTE UN MES ENTERO.

CARAMELOS PARA RELLENAR LAS CA-
RIES. NO MAS DENTISTAS.

CARAMELOS DE GOMA CON PEGAMEN-
TO PARA PADRES QUE HABLAN DEMASIADO.

CARAMELOS SALTARINES QUE SE MUE-
VEN DELICIOSAMENTE DENTRO DEL ESTO-
MAGO DESPUES DE TRAGARLOS.

CHOCOLATINAS INVISIBLES PARA CO-
MER EN CLASE.

LAPICES PARA CHUPAR RECUBIERTOS
DE CARAMELO.

PISCINAS DE LIMONADA GASEOSA.

CHOCOLATE MAGICO. CUANDO SE TIE-
NE EN LA MANO SE SABOREA EN LA BOCA.

GRAGEAS DE ARCO IRIS. AL CHUPAR-
LAS SE PUEDE ESCUPIR EN SEIS COLORES DI-
FERENTES.

—¡Vamos, vamos! —gritó el señor Wonka—. ¡No tenemos todo el día!

—¿No hay una *Sala de Televisión* entre todo esto? —preguntó Mike Tevé.

—Claro que hay una sala de televisión —dijo el señor Wonka—. Es aquel botón de allí —añadió, señalándolo con el dedo. Todos lo miraron. CHOCOLATE DE TELEVISION, decía en el pequeño cartelito junto al botón.

—¡Vivaaa! —gritó Mike Tevé—. ¡Eso es para mí! —Alargó el dedo índice y apretó el botón. Instantáneamente se oyó un tremendo zumbido.

Las puertas se cerraron de golpe y el ascensor pegó un salto como si lo hubiese picado una avispa. ¡Pero saltó hacia un *lado!* Y todos los pasajeros (excepto el señor Wonka, que se había cogido a una agarradera que colgaba del techo) se cayeron al suelo.

—¡Levantaos, levantaos! —gritó el señor Wonka, riendo a carcajadas.

Pero justo en el momento en que todos empezaban a ponerse de pie, el ascensor cambió de dirección y torció violentamente una esquina. Y otra vez se fue al suelo todo el mundo.

—¡Socorro! —gritó la señora Tevé.

—Deme la mano, señora —dijo galantemente el señor Wonka—. ¡Ya está! Y ahora cójase a esta agarradera. Que todos se cojan a una agarradera. ¡El viaje aún no ha terminado!

El anciano abuelo Joe se puso trabajosamente de pie y se cogió a una de las agarraderas. El pequeño Charlie, que no alcanzaba a llegar tan alto, se cogió a las piernas del abuelo Joe y se mantuvo firmemente aferrado.

El ascensor corría a la velocidad de un cohete. Ahora estaba empezando a subir. Subía a toda velocidad por una empinada cuesta como si estuviese escalando una escarpada colina. Y de pronto, como si hubiese llegado a lo alto de la colina y se hubiese caído

—¡Cállate! —dijo el señor Tevé.

—Gracias —dijo el señor Wonka—. Y ahora os diré cómo funciona este asombroso aparato de televisión. Pero, en primer lugar, ¿sabéis cómo funciona la televisión ordinaria? Es muy simple. En uno de los extremos, donde se está filmando la imagen, se sitúa una gran cámara de cine y se empieza a fotografiar algo. Las fotografías son entonces divididas en millones de diminutas piezas, tan pequeñas que no pueden verse, y la electricidad envía estas diminutas piezas al cielo. En el cielo empiezan a volar sin orden ni concierto hasta que de pronto se encuentran con la antena que hay en el techo de alguna casa. Entonces descienden por el cable que comunica directamente con el aparato de televisión, y allí son ordenadas y organizadas hasta que al fin cada una de esas diminutas piececitas encuentra su sitio apropiado (igual que un rompecabezas), y ¡presto! la fotografía aparece en la pantalla...

—No es así como funciona *exactamente* —dijo Mike Tevé.

—Soy un poco sordo de la oreja izquierda —dijo el señor Wonka—. Tendrás que perdonarme si no oigo todo lo que dices.

—¡He dicho que no es así como funciona *exactamente*! —gritó Mike Tevé.

—Eres un buen chico —dijo el señor Wonka—, pero hablas demasiado. ¡Y bien! La primera vez que vi como funcionaba la televisión ordinaria tuve una fantástica idea. «¡Oidme bien», grité, «si esta gente puede desintegrar una *fotografía* en millones de trocitos y enviar estos trocitos a través del espacio y luego volver a ordenarlos en el otro extremo, ¿por qué no puedo *yo* hacer lo mismo con una chocolatina? ¿Por qué no puedo enviar una chocolatina a través del espacio en diminutos trocitos y luego ordenar los trocitos en el otro extremo listos para comer?»

—¡Imposible! —gritó Mike Tevé.

—¿Te parece? —gritó el señor Wonka—. ¡Pues bien, mira esto! ¡Enviaré ahora una barra de mi mejor chocolate de un extremo a otro de la habitación por televisión! ¡Preparaos! ¡Traed el chocolate!

Inmediatamente, seis Oompa-Loompas aparecieron llevando sobre los hombros la barra de chocolate más enorme que Charlie había visto nunca. Era casi tan grande como el colchón sobre el que él dormía en casa.

—Tiene que ser grande —explicó el señor Wonka—, porque cuando se envía algo por televisión siempre sale mucho más pequeño de lo que era cuando entró. Aun con la televisión ordinaria, cuando se fotografía a un hombre de tamaño normal, nunca sale en la pantalla más alto que un lápiz, ¿verdad? ¡Allá vamos entonces! ¡Preparaos! *¡No, no! ¡Alto! ¡Detened todo!* ¡Tú! ¡Mike Tevé! ¡Atrás! ¡Estás demasiado cerca de la cámara! ¡De ese aparato salen unos rayos muy peligrosos! ¡Podrían dividirte en millones de trocitos en un segundo! ¡Por eso los Oompa-Loompas llevan trajes espaciales! ¡Los trajes les protegen! ¡Muy bien! ¡Así está mejor! ¡Adelante! ¡Encended!

Uno de los Oompa-Loompas agarró un gran conmutador y lo pulsó hacia abajo.

Hubo un relámpago cegador.

—¡El chocolate ha desaparecido! —gritó el abuelo Joe, agitando los brazos.

¡Y tenía razón! ¡La enorme barra de chocolate había desaparecido completamente!

—¡Ya está en camino! —gritó el señor Wonka—. Ahora está volando por el espacio encima de nuestras cabezas en un millón de dininutos trocitos. ¡De prisa! ¡Venid aquí! —corrió hacia el otro extremo de la habitación donde estaba el gran aparato de televisión, y los demás le siguieron—. ¡Observad la pantalla! —gritó—. ¡Aquí viene! ¡Mirad!

La pantalla parpadeó y se encendió. Entonces, de pronto, una pequeña barra de chocolate apareció en el centro de la pantalla.

—¡Cogedla! —gritó el señor Wonka, cada vez más excitado.

—¿Cómo vamos a cogerla? —preguntó riendo Mike Tevé—. ¡Es sólo una imagen en una pantalla de televisión!

—¡Charlie Bucket! —gritó el señor Wonka—. ¡Cógela tú! ¡Alarga la mano y cógela!

Charlie alargó la mano y tocó la pantalla, y de pronto, milagrosamente, la barra de chocolate apareció entre sus dedos. Su sorpresa fue tan grande que casi la dejó caer.

—¡Cómetela! —grito el señor Wonka—. ¡Vamos, cómetela! ¡Será deliciosa! ¡Es la misma chocolatina! ¡Se ha vuelto más pequeña durante el viaje, eso es todo!

—¡Es absolutamente fantástico! —exclamó el abuelo Joe—. ¡Es... es... es un milagro!

—¡Imaginaos! —gritó el señor Wonka—. Cuando empiece a utilizar esto a lo largo del país... Estaréis en vuestra casa mirando la televisión y de pronto aparecerá un anuncio en la pantalla y una voz dirá, «¡COMED LAS CHOCOLATINAS DE WONKA! ¡SON LAS MEJORES DEL MUNDO! ¡SI NO LO CREÉIS, PROBAD UNA *AHORA MISMO*...!» ¡Y lo único que tendréis que hacer es alargar la mano y cogerla! ¿Qué os parece, eh?

—¡Magnífico! —gritó el abuelo Joe—. ¡Cambiará el mundo!

27. Mike Tevé es enviado por televisión

Mike Tevé estaba aún más excitado que el abuelo Joe al ver cómo una chocolatina era enviada por televisión.

—Pero, señor Wonka —gritó—. ¿Puede usted enviar otras cosas por el aire del mismo modo? ¿Cereal para el desayuno, por ejemplo?

—¡Por favor! —gritó el señor Wonka—. ¡No menciones esa horrible comida delante de mí! ¿Sabes de qué está hecho el cereal para el desayuno? ¡Está hecho de esas pequeñitas virutas de madera que se encuentran dentro de los sacapuntas!

—¿Pero podría enviarlo por televisión si quisiera como el chocolate? —preguntó Mike Tevé.

—¡Claro que podría!

—¿Y la gente? —preguntó Mike Tevé—. ¿Podría enviar a una persona de un lugar a otro de la misma manera?

—¡Una *persona*! —gritó el señor Wonka—. ¿Has perdido la cabeza?

—Pero, ¿podría hacerse?

—Santo cielo, niño, la verdad es que no lo sé... Supongo que sí... Sí, estoy casi seguro de que se podría... Claro que se podría... Aunque no quisiera correr el riesgo... Podría tener resultados muy desagradables...

Pero Mike Tevé ya había salido corriendo. En cuanto oyó al señor Wonka decir «Estoy casi seguro de que se podría... Claro que se podría», se volvió y echó a correr a toda prisa hacia el otro extremo de la habitación donde se encontraba la enorme cámara.

«¡Miradme», gritaba mientras corría. «¡Seré la primera persona en el mundo enviada por televisión!»

—¡No, no, no, no! —gritó el señor Wonka.

—¡Mike! —gritó la señora Tevé—. ¡Detente! ¡Vuelve aquí! ¡Te convertirás en un millón de diminutos trocitos!

Pero ahora ya no había quien detuviera a Mike Tevé. El enloquecido muchacho siguió corriendo, y cuando llegó junto a la enorme cámara se arrojó sobre el conmutador, dispersando Oompa-Loompas a derecha e izquierda.

—¡Hasta luego, cocodrilo! —gritó, y bajó el conmutador, y en el momento de hacerlo, saltó en medio del brillo de la poderosa lente.

Hubo un relámpago cegador.

Luego se hizo el silencio.

Entonces la señora Tevé corrió hacia él... Pero se paró en seco en medio de la habitación... Y allí se quedó... Mirando el sitio donde había estado su hijo... Y su gran boca roja se abrió y de ella salió un grito:

—¡Ha desaparecido! ¡Ha desaparecido!

—¡Santo cielo, es verdad! —gritó el señor Tevé.

El señor Wonka se acercó corriendo y puso suavemente una mano en el hombro de la señora Tevé.

—Esperemos que todo vaya bien —dijo—. Debemos rezar para que su hijo aparezca sano y salvo en el otro extremo.

—¡Mike! —gritó la señora Tevé, llevándose las manos a la cabeza—. ¿Dónde estás?

—Te diré donde está —dijo el señor Tevé—. Está volando por encima de nuestras cabezas en un millón de diminutos trocitos.

—¡No digas eso! —gimió la señora Tevé.

—Debemos observar la pantalla del televisor —dijo el señor Wonka—. Puede aparecer en cualquier momento.

El señor y la señora Tevé, el abuelo Joe, el pequeño Charlie y el señor Wonka se reunieron en torno al aparato de televisión y miraron nerviosamente la pantalla. En la pantalla no se veía nada.

—Está tardando muchísimo en aparecer —dijo el señor Tevé, enjugándose la frente.

—Dios mío —dijo el señor Wonka—. Espero que ninguna de sus partes quede atrás.

—¿Qué quiere usted decir? —dijo vivamente el señor Tevé.

—No quisiera alarmarles —dijo el señor Wonka—, pero a veces ocurre que sólo la mitad de los trocitos vuelve a aparecer en la pantalla del televisor. Eso sucedió la semana pasada. No se por qué, pero el resultado fue que sólo apareció la mitad de la chocolatina.

La señora Tevé lanzó un chillido de horror:

—¿Quiere usted decir que sólo la mitad de Mike volverá a nosotros?

—Esperemos que sea la mitad superior —dijo el señor Tevé.

—¡Un momento! —dijo el señor Wonka—. ¡Miren la pantalla! ¡Algo está sucediendo!

La pantalla de repente había empezado a parpadear.

Luego aparecieron unas líneas onduladas.

El señor Wonka ajustó uno de los botones y las líneas desaparecieron.

Y ahora, muy lentamente, la pantalla empezó a ponerse cada vez más brillante.

—¡Aquí viene! —gritó el señor Wonka—. ¡Sí, es él!

—¿Está entero? —gritó la señora Tevé.

—No estoy seguro —dijo el señor Wonka—. Aún es pronto para saberlo.

Borrosamente al principio, pero haciéndose cada vez más clara a medida que pasaban los segundos, la imagen de Mike Tevé apareció en la pantalla. Estaba de pie, saludando a la audiencia y sonriendo de oreja a oreja.

—¡Pero si es un enano! —gritó el señor Tevé.

—¡Mike! —gritó la señora Tevé—. ¿Estás bien? ¿Te falta algún trocito?

—¿Es que no se va a poner más grande? —gritó el señor Tevé.

—¡Háblame, Mike! —gritó la señora Tevé. ¡Di algo! ¡Dime que estás bien!

Una pequeña vocecita, no más alta que el chillido de un ratón, salió del aparato:

—¡Hola, mamá! —dijo—. ¡Hola, papá! ¡Miradme! ¡Soy la primera persona en el mundo que ha sido enviada por televisión!

—¡Cójanlo! —ordenó el señor Wonka—. ¡De prisa!

La señora Teve alargó la mano y cogió la diminuta imagen de Mike Tevé de la pantalla.

—¡Hurra! —gritó el señor Wonka—. ¡Está entero! ¡Está completamente intacto!

—¿Llama a *eso* intacto? —dijo la señora Tevé, escudriñando la miniatura de niño que corría ahora de un extremo a otro sobre la palma de su mano, agitando sus pistolas en el aire.

Mike Tevé no medía más de dos centímetros de altura.

—¡Ha *encogido*! —dijo el señor Tevé.

—¡Claro que ha encogido! —dijo el señor Wonka—. ¿Qué esperaban?

—¡Esto es terrible! —gimió la señora Tevé. ¿*Qué* vamos a hacer?

Y el señor Tevé dijo:

—¡No podremos enviarlo así a la escuela! ¡Le pisarán! ¡Le aplastarán!

—¡No podrá hacer *nada*! —gritó la señora Tevé.

—¡Sí que podré! —chilló la vocecita de Mike Tevé—. ¡Podré ver la televisión!

—¡Nunca más! —rugió el señor Tevé—. ¡Tiraré el aparato de televisión por la ventana en cuanto lleguemos a casa! ¡Ya estoy harto de la televisión!

Al oír esto, Mike Tevé cogió una tremenda rabieta. Eempezó a saltar como loco sobre la palma de la mano de su madre, chillando y gritando e intentando morderle los dedos. «¡Quiero ver la televisión!», chillaba. «¡Quiero ver la televisión! ¡Quiero ver la televisión! ¡Quiero ver la televisión!»

—¡Ven! ¡Dámelo a mí! —dijo el señor Tevé, y cogió al diminuto niño, se lo metió en el bolsillo interior de su chaqueta y lo cubrió con su pañuelo. Gritos y chillidos se oyeron desde el interior del bolsillo, que se sacudía con los esfuerzos del pequeño prisionero para salir.

—Oh, señor Wonka —sollozó la señora Tevé—. ¿Cómo podremos hacerle crecer?

—Bueno— dijo el señor Wonka, acariciándose la barba y mirando pensativamente al techo—. Debo decir que eso será un tanto difícil. Pero los niños pequeños son muy elásticos y flexibles. Se estiran muchísimo. ¡De modo que lo que haremos será ponerlo en una máquina especial que tengo para probar la elasticidad del chicle. ¡Quizá eso lo devuelva a su tamaño normal!

—¡Oh, gracias! —dijo la señora Tevé.

—No hay de qué, mi querida señora.

—¿Cuánto cree que se estirará —preguntó el señor Tevé.

—Kilómetros, quizá —dijo el señor Wonka—. ¿Quién sabe? Pero se quedará terriblemente delgado. Todo se hace más delgado cuando se estira.

—¿Como el chicle, por ejemplo? —preguntó el señor Tevé.

—Exactamente.

—¿Cómo de delgado se quedará? —preguntó ansiosamente la señora Tevé.

—No tengo la más mínima idea —dijo el señor Wonka—. Y de todas maneras no importa, porque pronto le engordaremos otra vez. Lo único que tendremos que hacer es darle una dosis triple de mi maravilloso Caramelo de Supervitaminas. El Caramelo de Supervitaminas contiene enormes cantidades de vitamina A y vitamina B. También contiene vitamina C, vitamina D, vitamina E, vitamina F, vitamina G, vitamina I, vitamina J, vitamina K, vitamina L, vitamina M, vitamina N, vitamina O, vitamina P, vitamina Q, vitamina Z. Las únicas dos vitaminas que no contiene son la vitamina S, porque le pone a uno enfermo, y la vitamina H, porque hace que le crezcan a uno cuernos en la cabeza como a un toro. Pero *sí* tiene una dosis muy pequeña de la vitamina más rara y más mágica de todas: la vitamina Wonka.

—¿Y ésa qué le hará? —preguntó ansiosamente el señor Tevé.

—Hará que le crezcan los dedos de los pies hasta que sean tan largos como los de las manos...

—¡Oh, no! —gritó la señora Tevé.

—No sea tonta —dijo el señor Wonka—. Es algo muy útil. Podrá tocar el piano con los pies.

—Pero, señor Wonka...

—¡No quiero discusiones, *por favor*! —dijo el señor Wonka. Se volvió y chasqueó tres veces los dedos en el aire. Inmediatamente un Oompa-Loompa apareció junto a él—. Sigue estas órdenes —dijo el señor Wonka, dándole al Oompa-Loompa un pedazo de papel en el que había escrito las instrucciones precisas—. Y encontrarás al niño en el bolsillo de su padre. ¡Ya pueden irse! ¡Adiós, señora Tevé! ¡Adiós, señor Tevé! ¡Y, por favor, no se preocupen! Todos aparecen en la colada, ¿saben?, todos y cada uno...

En un extremo de la habitación, los Oompa-Loompas estaban junto a la cámara gigante tocando ya sus diminutos tambores y empezando a saltar arriba y abajo siguiendo el ritmo.

—¡Ya está otra vez! —dijo el señor Wonka—. Me temo que no se pueda impedir que canten.

El pequeño Charlie cogió la mano del abuelo Joe, y los dos se quedaron de pie, junto al señor Wonka, en medio de la larga y brillante habitación, escuchando a los Ooompa-Loompas. Y esto es lo que cantaron:

Hemos aprendido algo primordial,
Algo que a los niños les hace mucho mal,
Y eso es que en el mundo no haya nada peor
Que sentarles frente a un televisor.
De hecho, sería muy recomendable
Suprimir del todo ese trasto abominable.
En todas las casas que hemos visitado
Así a los pequeños hemos encontrado:
Absortos, dormidos, casi idiotizados,
Mirando la tele como hipotizados,
Con los ojos fijos en esa pantalla
Hasta que sus órbitas parece que estallan.
(Ayer vimos algo que aterra y asombra:
Seis pares de ojos rodar por la alfombra.)
Sentados mirando, mirando sentados,
Parecen de veras estar hechizados.
Borrachos de imágenes, ávidos de ruido,
Ciegos y atontados y reblandecidos.
Oh, sí, ya sabemos que les entretiene
Y que por lo menos quietos les mantiene.

No gritan, no lloran, no brincan, no juegan,
No saltan ni corren, tampoco se pegan.
A usted eso le da mucha tranquilidad,
Es libre de hacer muchas cosas, ¿verdad?
Mas yo le pregunto, ¿ha pensado un momento
Para qué le sirve a su hijo este invento?
¡LE PUDRE TODAS LAS IDEAS!
¡MATA SU IMAGINACIÓN!
¡HACE QUE EN NADA, NADA CREA!
¡DESTRUYE TODA SU ILUSIÓN!
SU POBRE MENTE SE TRANSFORMA
EN UN INÚTIL REFLECTOR
CON VER FIGURAS SE CONFORMA,
¡NO SUEÑA, NI EVOCA, NI PIENSA, SEÑOR!
«¡Muy bien!», dirá usted, «¡Muy bien!», gritará,
Mas si nos llevamos el televisor,
¿Qué haremos en cambio, qué se les dará
Para mantenerlos en orden, señor?
A esa pregunta yo responderé
Con otra, que es ésta: Los niños, ¿qué hacían
Para divertirse, cómo entretenían
Sus horas de ocio, qué los mantenía
Tranquilos, contentos, quietos y callados,
Felices, absortos y atentos
Antes de que este diabólico invento
Se hubiese inventado?
¿No lo recuerda? Se lo diremos
En voz muy alta, lo gritaremos
Para que acierte a comprender:
¡SOLÍAN... LEER, LEER, LEER!
LEÍAN y LEÍAN y procedían
A leer aún más. Y todo el día
Lo dedicaban a leer libros, y por doquier,
En bibliotecas y estanterías,
Sobre las mesas, en librerías,
¡Bajo las camas siempre había
Miles de libros para leer!
Historias fantásticas y maravillosas

De fieros dragones y reinas hermosas,
De osados piratas, de astutos ladrones,
De elefantes blancos, tigres y leones.
De islas misteriosas, de orillas lejanas,
De tristes princesas junto a una ventana,
De valientes príncipes, apuestos, galantes,
De exóticas playas, países distantes,
Historias de miedo, hermosas y raras,
Los más pequeñitos leían los cuentos
¡Historias que hacían que el tiempo volara!
De Grimm y de Andersen, de Louis Perrault.
Sabían quién era la Bella Durmiente,
Y la Cenicienta, y el Lobo Feroz.
Las Mil y Una Noches de magia nutrían
Con mil y una historias sus ensoñaciones.
La gran Scheherezade de la mano traía
A Alí Babá y los Cuarenta Ladrones,
A Aladino y su lámpara maravillosa,
Al genio que otorga deseos e ilusiones
Y mil aventuras a cual más hermosa.
¡Qué libros más bellos leían
Los niños que antaño vivían!
Por eso rogamos, por eso pedimos
Que tiren muy lejos el televisor,
Y en su sitio instalen estantes de libros
Que llenen sus horas de gozo y fervor.
Ignoren sus gritos, ignoren sus lloros,
No importan protestas, ni quejas, ni llanto.
Dirán que es usted un malvado y un ogro
Con caras de furia, de odio, de espanto.
Mas no tenga miedo, pues le prometemos
Que al cabo de pocos, de muy pocos días
Al verse aburridos, diciendo, «¿Qué hacemos
Para entretener estas horas vacías?»,
Irán poco a poco acercándose al sitio
Donde usted ha instalado esa librería,
Y cogerán un libro de cualquier estante,
Lo abrirán con cautela, recelosos primero,

Pero ya superados los primeros instantes
No podrán apartarse y lo leerán entero.
Y entonces, ¡qué gozo, qué dulce alegría
Llenará sus ojos y su corazón!
Se preguntarán cómo pudieron un día
Dejarse embrujar por la televisión.
Y al correr los años, cuando sean mayores,
Recordarán por siempre con agradecimiento
Aquel día feliz, aquel fausto momento
En que usted cambió libros por televisores.
P. D. En cuanto a Mike Tevé,
Sentimos tener que decir
Que con un poco de fe
Quizá logremos impedir
Que quede así. A ver si crece,
Aunque si no, ¡se lo merece!

28. Sólo queda Charlie

—¿Qué sala veremos a continuación —dijo el señor Wonka, volviéndose y corriendo hacia el ascensor—. ¡Vamos! ¡De prisa! ¡*Debemos* seguir! ¿Y cuántos niños quedan ahora?

El pequeño Charlie miró al abuelo Joe, y el abuelo Joe miró al pequeño Charlie.

—Pero, señor Wonka —dijo el abuelo Joe—. Ahora... Ahora sólo queda Charlie.

El señor Wonka se volvió y miró fijamente a Charlie.

Hubo un silencio. Charlie se quedó donde estaba, sujetando firmemente la mano del abuelo Joe.

—¿Quiere usted decir que sólo queda uno? —dijo el señor Wonka, fingiéndose sorprendido.

—Pues sí —dijo Charlie—. Sí.

De golpe, el señor Wonka estalló de entusiasmo. «¡Pero, mi *querido* muchacho», gritó, «*eso significa que has ganado tú*!». Salió corriendo del ascensor y empezó a estrechar la mano de Charlie tan enérgicamente que casi se la arranca. «¡Oh, te felicito!», gritó. «¡Te felicito de todo corazón! ¡Estoy absolutamente encantado! ¡Esto no podría ser mejor! ¡Esto es magnífico! ¡Ahora empieza realmente la diversión! ¡Pero no debemos demorarnos! ¡No debemos demorarnos! ¡Ahora hay aún menos tiempo que perder que antes! ¡Tenemos un gran número de cosas que hacer antes de que acabe el día! ¡Piensa en las *disposiciones* que debemos tomar! ¡Y en la gente que debemos ir a buscar! ¡Pero afortunadamente para nosotros tenemos el gran ascensor de cristal para apresurar las cosas! ¡Sube, mi querido Charlie, sube! ¡Usted también, abuelo Joe, señor! ¡No, no, *después* de usted! ¡Eso es! ¡Muy bien! ¡Esta vez *yo* escogeré el botón que debemos apretar!» Los brillantes ojos azules del señor Wonka se detuvieron por un momento en la cara del pequeño Charlie.

Alguna locura va a ocurrir ahora, pensó Charlie. Pero no sintió miedo. Ni siquiera estaba nervioso. Sólo tremendamente excitado. Y lo mismo le ocurría al abuelo Joe. La cara del anciano brillaba de entusiasmo a medida que observaba cada uno de los movimientos del señor Wonka. El señor Wonka estaba intentando alcanzar un botón que había en el techo de cristal del ascensor. Charlie y el abuelo Joe estiraron la cabeza para ver lo que decía en el pequeño cartelito junto al botón.

Decía... ARRIBA Y FUERA.

—*Arriba* y *fuera* —pensó Charlie—. ¿Qué clase de habitación es ésa?

El señor Wonka apretó el botón.

Las puertas de cristal se cerraron.

—¡Sosténganse! —gritó el señor Wonka.

Entonces ¡*WHAM!* El ascensor salió despedido hacia arriba como un cohete.

—¡Yiiipiii! —gritó el abuelo Joe.

Charlie estaba aferrado a las piernas del abuelo Joe, y el señor Wonka se había cogido a una de las agarraderas que colgaban del techo, y siguieron subiendo, arriba, arriba, arriba, en una sola dirección esta vez, sin curvas ni recodos, y Charlie podía oír fuera el silbido del viento a medida que el ascensor aumentaba su velocidad.

—¡Yiipii! —gritó otra vez el abuelo Joe—. ¡Yiipii! ¡Allá vamos!

—¡Más de prisa! —gritó el señor Wonka, golpeando con la mano la pared del ascensor—. ¡Más de prisa! ¡Más de prisa! ¡Si no vamos más de prisa que esto, jamás lo atravesaremos!

—¿Atravesar qué? —gritó el abuelo Joe—. ¿Qué es lo que tenemos que atravesar?

—¡Ajá! —gritó el señor Wonka—. ¡Espere y verá! ¡Llevo *años* deseando apretar este botón! ¡Pero nunca lo he hecho hasta ahora! ¡Muchas veces he estado tentado! ¡Sí, ya lo creo que sí! ¡Pero no podía soportar la idea de hacer un agujero en el techo de la fábrica! ¡Allá vamos, muchachos! ¡Arriba y fuera!

—Pero no querría decir... —gritó el abuelo Joe—, no querrá usted decir que este ascensor...

—¡Ya lo creo que sí! —contestó el señor Wonka—. ¡Espere y verá! ¡Arriba y fuera!

—Pero... pero... pero... ¡Está hecho de cristal! —gritó el abuelo Joe—. ¡Se romperá en mil pedazos!

—Supongo que podría suceder —dijo el señor Wonka, tan alegre como siempre—, pero de todas maneras, el cristal es bastante grueso.

El ascensor siguió adelante, hacia arriba, siempre hacia arriba, cada vez más de prisa...

Y de pronto... ¡CRASH!, se oyó un tremendo ruido de madera astillada y de tejas rotas directamente encima de sus cabezas, y el abuelo Joe gritó:

—¡Socorro! ¡Es el fin! ¡Nos mataremos!

Y el señor Wonka dijo:

—¡Nada de eso! ¡Hemos pasado! ¡Ya estamos fuera!

Y era verdad. El ascensor había salido despedido por el techo de la fábrica y se elevaba ahora por el cielo como un cohete, y el sol entraba a raudales a través del techo de cristal. Al cabo de cinco segundos había subido unos veinticinco metros.

—¡El ascensor se ha vuelto loco! —gritó el abuelo Joe.

—No tenga miedo, mi querido señor —dijo tranquilamente el señor Wonka, y apretó otro botón. El ascensor se detuvo. Se detuvo y se quedó en el aire, sobrevolando como un helicóptero, sobrevolando la fábrica y la ciudad misma que yacía extendida a sus pies como una tarjeta postal. Mirando hacia abajo a través del suelo de cristal que estaba pisando, Charlie podía ver las pequeñas casitas lejanas y las calles y la nieve que lo cubría todo. Era una sensación extraña y sobrecogedora la de estar de pie sobre un cristal transparente a tamaña altura. Uno se sentía como si flotase en el vacío.

—¿Estamos bien? —gritó el abuelo Joe—. ¿Cómo se mantiene esto en el aire?

—¡Energía de caramelo! —dijo el señor Wonka—. ¡Un millón de caballos de energía de caramelo! ¡Miren! —gritó, señalando hacia abajo—. ¡Allá van los otros niños! ¡Se vuelven a sus casas!

29. Los otros niños se van a sus casas

—Debemos bajar a ver a nuestros amigos antes de nada —dijo el señor Wonka. Apretó un botón diferente y el ascensor empezó a descender, y al cabo de un momento estaba sobrevolando las puertas de la fábrica.

Mirando hacia abajo, Charlie podía ver ahora a los niños y a sus padres, de pie en un pequeño grupo junto a los portones.

—Sólo puedo ver a tres —dijo—. ¿Quién falta?

—Supongo que Mike Tevé —dijo el señor Wonka—. Pero vendrá pronto. ¿Ven los camiones? —el señor Wonka señaló una fila de gigantescos camiones cubiertos aparcados a poca distancia de allí.

—Sí —dijo Charlie—. ¿Para qué son?

—¿No recuerdas lo que decía en los Billetes Dorados? Todos los niños se vuelven a sus casas con una provisión de golosinas para el resto de sus vidas. Hay un camión para cada uno cargado hasta el tope. ¡Ajá, allá va vuestro amigo Augustus Gloop! ¿Le veis? ¡Está subiéndose al primer camión con su padre y su madre!

—¿Quiere usted decir que *de verdad* está bien? —preguntó Charlie asombrado—. ¿Aun después de haber pasado por ese horrible tubo?

—Claro que está bien —dijo el señor Wonka.

—¡Ha cambiado! —dijo el abuelo Joe, mirando a través de la pared de cristal del ascensor—. ¡Era muy gordo! ¡Ahora está delgado como un hilo!

—Claro que ha cambiado —dijo riendo el señor Wonka—. Ha encogido dentro del tubo. ¿No lo recuerdan? ¡Miren! ¡Allá va Violet Beauregarde, la fanática del chicle. Parece que después de todo se las han arreglado para exprimirla. Me alegro mucho. ¡Y qué aspecto más saludable tiene! ¡Mucho mejor que antes!

—¡Pero tiene la cara de color púrpura! —gritó el abuelo Joe.

—Es verdad —dijo el señor Wonka—. Pero eso no tiene remedio.

—¡Dios mío! —gritó Charlie—. ¡Miren a la pobre Veruca Salt y al señor y la señora Salt! ¡Están cubiertos de basura!

—¡Y aquí viene Mike Tevé! —dijo el abuelo Joe—. ¡Santo cielo! ¿Qué le han hecho? ¡Mide tres metros de altura y está tan delgado como un fideo!

—Le han estirado demasiado en la máquina de estirar chicle —dijo el señor Wonka—. Qué descuidados.

—Pero, ¡eso es horrible para él! —gritó Charlie.

—Tonterías —dijo el señor Wonka—. Tiene mucha suerte. Todos los equipos de baloncesto del país intentarán contratarle. Pero ahora —añadió— ha llegado el momento de dejar esos cuatro niños tontos. Tengo algo muy importante que decirte, mi querido Charlie —el señor Wonka apretó otro botón y el ascensor se elevó hacia el cielo.

30. La fábrica de chocolate de Charlie

El gran ascensor de cristal sobrevolaba ahora la ciudad. Dentro de él se encontraban el señor Wonka, el abuelo Joe y el pequeño Charlie.

—Cómo me gusta mi fábrica de chocolate —dijo el señor Wonka, mirando hacia abajo. Luego hizo una pausa, se volvió y miró a Charlie con una expresión muy seria—. ¿A ti también te gusta, Charlie? —preguntó.

—¡Oh, sí! —gritó Charlie—. ¡Es el sitio más maravilloso del mundo!

—Me alegra oírte decir esto —dijo el señor Wonka, más serio que nunca. Siguió mirando a Charlie fijamente—. Sí —dijo—. Me alegra mucho oírte decir eso. Y ahora te diré por qué —el señor Wonka inclinó hacia un lado la cabeza, y de pronto las pequeñísimas arrugas de una sonrisa aparecieron alrededor de sus ojos, y dijo—: Verás, mi querido muchacho, he decidido regalarte la fábrica entera. En cuanto tengas edad suficiente para dirigirla, la fábrica será toda tuya.

Charlie se quedó mirando fijamente al señor Wonka. El abuelo Joe abrió la boca para hablar, pero no logró articular palabra.

—Es verdad —dijo el señor Wonka, sonriendo ahora abiertamente—. Quiero regalarte esta fábrica. Estás de acuerdo, ¿verdad?

—¿*Regalársela*? —logró decir por fin el abuelo Joe—. Debe usted estar bromeando.

—No estoy bromeando, señor. Hablo muy en serio.

—Pero... Pero ¿Por qué iba usted a darle la fábrica al pequeño Charlie?

—Escuche —dijo el señor Wonka—. Yo ya soy muy viejo. Soy mucho más viejo de lo que se figuran. No puedo vivir eternamente. No tengo hijos, no tengo familia alguna. De modo que, ¿quién va a dirigir esta fábrica cuando yo ya sea demasiado viejo para hacerlo? *Alguien* tiene que llevarla adelante, aunque sólo sea por los Oompa-Loompas. Claro que hay miles de hombres muy hábiles que darían cualquier cosa por la oportunidad de encargarse de todo esto, pero yo no *quiero* esa clase de persona. No quiero para nada una persona mayor. Una persona mayor no me haría caso; no querría aprender. Intentaría hacer las cosas a su manera y no a la mía. De modo que necesito un niño. Quiero un niño sensible y cariñoso, a quien yo pueda confiar mis más preciados secretos de la fabricación de golosinas, mientras aún esté vivo.

—¡De modo que por *eso* envió usted los Billetes Dorados! —gritó Charlie.

—¡Exactamente! —dijo el señor Wonka—. ¡Decidí invitar a cinco niños a la fábrica, y aquel que me gustase más al terminar el día sería el ganador!

—Pero, señor Wonka —tartamudeó el abuelo Joe—, ¿quiere usted decir realmente que regalará esta fábrica entera al pequeño Charlie? Después de todo...

—¡No hay tiempo para discusiones! —gritó el señor Wonka—. Debemos ir a buscar al resto de la familia inmediatamente, el padre y la madre de Charlie y todos los que vivan en su casa. ¡De ahora en adelante todos pueden vivir en la fábrica! ¡Pueden ayudar a dirigirla hasta que Charlie tenga edad suficiente para hacerlo solo! ¿Dónde vives, Charlie?

Charlie miró a través del ascensor de cristal las casas cubiertas de nieve que se extendían a sus pies.

—Está allí —dijo, señalando—. Es aquella casita al borde mismo de la ciudad, aquella casa pequeñita...

—¡Ya la veo! —gritó el señor Wonka, y apretó algunos botones, y el ascensor salió disparado en dirección a la casa de Charlie.

—Me temo que mi madre no podrá venir con nosotros —dijo Charlie tristemente.

—¿Por qué no?

—Porque no querrá dejar a la abuela Josephine y a la abuela Georgina y al abuelo George.

—Pero ellos también deben venir.

—No pueden —dijo Charlie—. Son muy viejos y no han salido de la cama en veinte años.

—Entonces nos llevaremos también la cama con ellos dentro —dijo el señor Wonka—. Hay sitio suficiente en este ascensor para una cama.

—No podrá sacar la cama de la casa —dijo el abuelo Joe—. No pasará por la puerta.

—¡No debéis desesperar! —dijo el señor Wonka—. ¡Nada es imposible! ¡Ya veréis!

El ascensor sobrevolaba ahora la pequeña casita de los Bucket.

—¿Qué va usted a hacer? —gritó Charlie.

—Voy a entrar a buscarles —dijo el señor Wonka.

—¿Cómo? —preguntó el abuelo Joe.

—Por el tejado —dijo el señor Wonka, apretando otro botón.

—¡No! —gritó Charlie.

—¡Deténgase! —gritó el abuelo Joe.

¡CRASH! hizo el ascensor, entrando por el tejado de la casa en el dormitorio de los ancianos. Una lluvia de polvo y de tejas rotas y de trozos de madera y de cucarachas y arañas y ladrillos y cemento cayó sobre los tres ancianos que yacían en la cama, y todos ellos pensaron que había llegado el fin del mundo. La abuela Georgina se desmayó, a la abuela Josephine se le cayó la dentadura postiza, el abuelo George metió la cabeza debajo de la manta, y el señor y la señora Bucket entraron corriendo desde la otra habitación.

—¡Salvadnos! —gritó la abuela Josephine.

—Cálmate, mi querida esposa —dijo el abuelo Joe, bajando del ascensor—. Somos nosotros.

—¡Mamá! —gritó Charlie, arrojándose a los brazos de la señora Bucket—. ¡Mamá! ¡Mamá! ¡Escucha lo que ha ocurrido! Todos vamos a vivir en la fábrica del señor Wonka y vamos a ayudarle a dirigirla y me la ha regalado a mí toda entera y... y... y...

—¿De *qué* estás hablando? —dijo la señora Bucket.

—¡Mirad nuestra casa! —gritó el pobre señor Bucket—. ¡Está en ruinas!

—Mi querido señor —dijo el señor Wonka, adelantándose de un salto y estrechando calurosamente la mano del señor Bucket—. Me alegro tanto de conocerle. No debe preocuparse por su casa. De todos modos, de ahora en adelante ya no la necesitará usted.

—¿Quién *es* este loco? —gritó la abuela Josephine—. Podría habernos matado a todos.

—Este —dijo el abuelo Joe— es el señor Willy Wonka en persona.

Al abuelo Joe y a Charlie les llevó bastante tiempo explicarle a todos exactamente lo que había sucedido a lo largo del día. Y aun entonces todos se negaron a volver a la fábrica en el ascensor.

—¡Prefiero morir en mi cama! —gritó la abuela Josephine.

—¡Yo también! —gritó la abuela Georgina.

—¡Me niego a ir! —anunció el abuelo George.

De modo que el señor Wonka, el abuelo Joe y Charlie, sin hacer caso de sus gritos, simplemente empujaron la cama dentro del ascensor. Tras ella empujaron al señor y la señora Bucket. Luego montaron ellos mismos. El señor Wonka apretó un botón. Las puertas se cerraron. La abuela Georgina gritó. Y el ascensor se elevó del suelo y salió por el agujero del tejado en dirección al cielo.

Charlie se subió a la cama e intentó calmar a los tres ancianos, que aún seguían petrificados de miedo:

—Por favor, no tengáis miedo —les dijo—. Es muy seguro. ¡Y vamos al sitio más maravilloso del mundo!

—Charlie tiene razón —dijo el abuelo Joe.

—¿Habrá algo para comer cuando lleguemos allí? —preguntó la abuela Josephine—. ¡Me muero de hambre! ¡La familia entera se muere de hambre!

—¿Algo para *comer*? —gritó Charlie, riendo—. !Oh, espera y verás!

Charlie y la fábrica de chocolate terminó de imprimirse en febrero de 2002, en LITOFASESA S.A. de C.V., Prolongación Tlatenco Núm. 35 Col. Santa Catarina, 02250, México, D.F.

Concluida la impresión de esta obra se terminó de imprimir en febrero de 2002, en LITOGRAFÍA, S.A. de C.V., Prolongación Tlaxcala núm. 527, en Santa Apolonia, 02790, México, D.F.